의사국가고시 | 레지던트시험 | 정신건강의학과 전문의시험 준비를 위한

HANDBOOK POWER Psychiatry

정신의학

파워정신의학(핸드북)

첫째판 1쇄 인쇄 | 2019년 11월 20일
첫째판 1쇄 발행 | 2019년 11월 29일

지 은 이 안지현
발 행 인 장주연
출판기획 김도성
편 집 조형석, 안경희
편집디자인 조원배
표지디자인 김재욱
제작담당 신상현
발 행 처 군자출판사(주)
등록 제4-139호(1991. 6. 24)
본사 (10881) **파주출판단지** 경기도 파주시 회동길 338(서패동 474-1)
전화 (031) 943-1888 팩스 (031) 955-9545
홈페이지 | www.koonja.co.kr

ISBN 979-11-5955-509-1

정가 20,000원

HANDBOOK

POWER

Psychiatry

정신의학

머리말

2011년 '정신과'는 '정신건강의학과'로 이름이 바뀌었습니다. 사람들에게 정신건강에 대한 상식을 보급하고 정신건강을 위한 치료에 밝고 긍정적인 인식 변화가 필요하다고 판단해서였습니다. 이로 인해 심리적인 문턱은 낮아진 것 같지만 여전히 많은 숙제를 안고 있습니다.

최근 세계보건기구(WHO)의 게임중독 질병코드 분류에서 보듯 사회가 복잡해지면서 정신건강의 문제도 다양해지고 있습니다. 사람들의 마음과 정신건강을 이해하려면 정신의학을 체계적으로 공부해야 합니다.

'파워 정신의학'은 방대한 양의 정신의학에 대해 이해하기 쉽게 요약·정리하였습니다. 의학, 간호학, 약학 등을 전공하는 분들의 시험 준비에 도움이 되도록 노력했습니다. 또한 심리학, 사회학, 커뮤니케이션학 등을 전공하는 분들도 심도 있게 공부하는데 도움이 될 것으로 기대합니다.

이 책이 정신의학 공부를 시작하는 분들과 정리하는 분들 모두에게 유익한 안내서가 되기를 바랍니다. 고맙습니다.

2019. 11.

김요섭, 안지현

목차

1 CHAPTER 정신의학의 역사

정신질환자들에 대해서는 인류의 역사상 최소한의 권리도 보장받지 못한 채 치료가 이루어지지 않았으며, 의학적 접근이 시작된 것은 17세기 이후이며, 19세기부터 정신의학이 의학의 한 분야로 자리 잡음.

기술적 정신의학(descriptive psychiatry)

1. Emil Kraepelin

1) 정신질환을 신체질병과 같은 방식으로 기술
2) 증상, 경과, 예후, 병리소견 등 겉으로 보이는 현상을 면밀히 관찰하고 특징에 따라 진단명을 붙이고 체계적으로 분류함
3) 인간의 성장 과정, 환경과의 상호관계, 개인적 심리 동기가 정신질환에 미치는 영향보다 눈에 보인이는 현상기술로써 병의 형태와 성격을 체계화한다는 점에서 기술정신의학이라 부름
4) 기능적 정신병(functional psychosis)을 dementia praecox(조발성 치매: 추후 Eugen Bleuler가 조현병으로 명명), manic depressive psychosis(조울정신병), paranoid(망상증)로 분류

역동정신의학(dynamic psychiatry)

: 기술정신의학에 비해 정신병리 현상을 심층적으로 해석하고 심리적, 사회적 관계 속에서 이해하고자 한 일련의 정신의학의 조류

1. Freud

1) 무의식이 사람의 행동과 감정에 큰 영향을 준다고 제시
2) 최면술로 신경증 특히, 히스테리 환자를 치료하던 중 이를 자유 연상(free association)과 꿈의 해석(dream interpretation)을 주로 한 정신분석(psychoanalysis) 기법으로 발전

3) 본능이론, 유아성욕이론, 정신의 구조, 발달이론, 방어기제의 이론 발전

2. Carl Gustav Jung

1) 정신분석학 이론을 수정, 발전시켜 분석심리학 창안
2) Freud 정신분석학의 성욕설, 생물학적 환원주의, 기계론적 인간관 비판
3) 집단 무의식, 심리적 원형(archetype), 개인화(individuation) 이론을 제시

3. Alfred Adler

1) 개인심리학(individual psychology)
2) 권력 의지(will to power), 열등감 콤플렉스(inferiority complex) 등의 용어 사용
3) 인간은 자기실현을 위해 합목적적으로 추구하는 존재라는 점을 강조

4. Harry Stock Sullivan

: 인간관계 역동을 중시하는 인간관계 이론(interpersonal relationship theory)을 발전

현대정신의학

1) 생물정신의학의 발전
   ① John Newport Langley: 신경전달물질과 수용체 등 신경전달물질에 대한 연구
   ② Egas Moniz: 1936년 정신질환에 대해 외과적 수술 시행
   ③ Ugo Cerletti와 Lucio Bini: 1938년 전기경련요법 처음으로 시행
   ④ D. F. Kallmann: 정신장애의 유전이론을 체계화
2) 정신약물학의 발전
   ① John Cade: 1940년대 리튬을 조증 치료에 시도. 진정한 의미의 정신에 대한 약물치료의 시작
   ② Jean Delay와 Pierre Deniker: 1950년대 chlorpromazine을 조현병에 사용(정신의학 제3의 혁명)
   ③ 의의: 정신약물학의 발전은 치료에도 혁명적 개선을 가져왔으며, 정신질환의 생물학적 원인의 규명에도 큰 공헌을 하게 됨
3) 심리학 분야에서 행동주의 또는 학습이론으로 불리는 심리학이 발전
   ① Ivan Pavlov: 조건반사이론
   ② Burrhus Frederic Skinner: 조작적 조건 형성이론
   ③ John Broadus Watson: 학습이론을 치료에 응용
4) 발달이론과 인지심리학(cognitive psychology): Jean Piaget
5) 유전학, 분자생물학, 신경과학 및 컴퓨터를 이용한 영상화 기술 등의 발전
6) 법정신의학의 발전

2 CHAPTER 정신장애의 신경생물학

뇌의 구조에 따른 기능

대뇌피질

1. 이마엽(전두엽, frontal lobe)

1) 기능

① 운동, 감각, 감정영역과 서로 상호적으로 연관

② 반대측 운동 조절

③ 언어생산의 측면(broca area): 운동, 말하기(손상 시 motor aphasia 발생)

④ **Personality**, 추상적 사고, 기억, 집중, 판단 등에 중요

2) 전전두피질(prefrontal cortex)

① 전두엽에서 일차운동피질과 전운동피질을 뺀 전두엽의 앞부분을 말함. 감정을 관장하는 변연계의 도파민계와 밀접히 연결됨

② 두뇌의 여러 부분에서 오는 정보를 통합하고 계획을 세우고, 결정을 내리며, 새로운 생각을 만들어내는 기능

③ 손상 시 지능저하는 뚜렷하지 않고, 목적 지향적 행동능력이 떨어져서 **충동적이고 미숙하고, 계획성이나 의욕이 떨어지고, 부적절한 사회기능**을 보임★

◆ 등가쪽전전두피질(dorsolateral prefrontal cortex, DLPFC)

- 정보의 통합과 조정, 짧은 기간의 기억, 계획 수립, 문제 해결 등의 집행 기능

◆ 안와전두피질(orbitofrontal cortex, OFC)

- 정서 및 행동 조절

♦ 안쪽 전전두피질(medial prefrontal cortex)
  - 타인을 이해하거나 자기관련처리(self-referential processing)와 연관

♦ 배안쪽전전두피질(ventromedial prefrontal cortex, VLPFC)
  - 의사결정과 행동억제

2. 마루엽(두정엽, parietal lobe)

1) 기능: 각종 체성 감각정보의 통합과 연상을 주관(visual, tactile, auditory input)
   ① 비우세(non-dominant; 오른손잡이 Rt) 두정엽: 시각 - 공간 과정에서 중요한 역할
   ② 우세(dominant; 오른손잡이 Lt) 두정엽: 언어적 과정에 중요한 역할

2) 기능이상: 부정(denial)과 무시(neglect) 증상 발생
   ① Gerstmann 증후군: 우세(오른손잡이 Lt) 두정엽 병소에서 기인
   - 계산불능증(acalculia), 실서증(agraphia), 손가락실인증(finger agnosia)
   - 좌우혼동(right-left disorientation), 관념 운동성 실행증(ideomotor apraxia)

   ② 비우세(오른손잡이 Rt) 두정엽 장애: 질병실인증, 구성실행증, 신체편측무시(왼쪽 팔 무시)

3. 관자엽(측두엽, temporal lobe)

1) 변연계와 밀접: 감정표현, 기억, 언어이해(Wernicke; Lt), 언어의 감정적 이해(노래 부르기; Rt)

2) 기능이상 - temporal lobe epilepsy
   ① 환취 및 환미, 기시증(deja vu), 비현실증(derealization), 이인증(depersonalization), 반복적인 운동행동★
   ② 시간이 지남에 따라 우울증과 조현병의 증상과 성격의 변화
   ③ 측두엽의 Wernicke's area: 손상 시 sensory aphasia

4. 뒤통수엽(후두엽, occipital lobe)

1) 기능: 시각정보의 일차적 감각피질

2) 기능이상: 착시, 환시, 영상의 왜곡이 나타남

변연계(limbic system)

1. 변연계 구조물의 행동에 미치는 영향

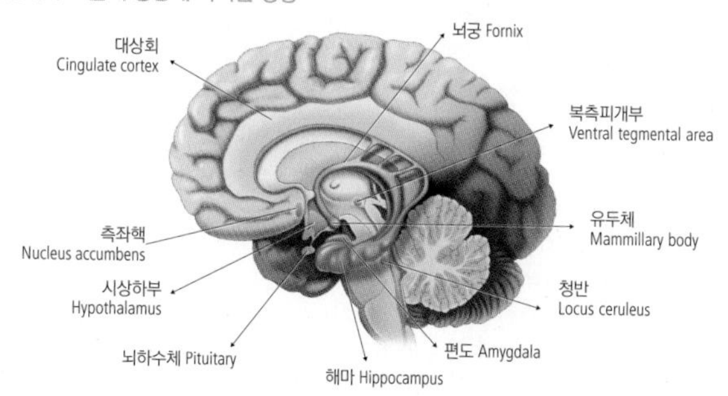

1) 대상회(cingulate): maternal behavior, play, vocalization
2) 해마(hippocampus):
   - 의식 수준에서 떠오르는 외현적(explicit) 기억★의 핵심적인 중추
3) 편도(amygdala):
   - **공포★** 자극 처리를 포함한 정서 반응에 중요하며,
   - 정서 조건화 같은 암묵적 기억(implicit memory) 역할
   - 섭식과 성욕 등에 관여
4) 시상하부(hypothalamus): eating, drinking, sex, aggression, hormonal control

※ 변연계는 후각, 감정, 성욕, 수면, 섭식, 동기, 공격성, 기억, 학습 등의 중추
특히 학습과 기억에는 amygdala, hippocampus가 주요 기능을 담당

2. 변연계의 이상

: 흔히 보이는 정신 증상은 감정의 탈억제, 감정둔마, 성행위 변화, 성격 변화, 유순함 등

1) Klüver-Bucy 증후군 → 측두엽(temporal lobe), 편도(amygdala) 손상
   ① 원숭이: 시각성 실인증, 입으로 접촉 탐사, 공포반응 부재, 성행위 증가 등
   ② 인간: 양순함, 감정둔마, 과식욕, 과성욕, 기억상실, 치매, 시각 및 청각성 실인증, 실어증, 간질 증상
2) Korsakoff 증후군: 만성 티아민(thiamine) 결핍 → 유두체(mammillary body), 시상(thalamus) 손상

① 술과 연관된 기억상실 증후군, 작화증, 감정둔마, 수동성
② 새로운 정보를 학습하는데 어려움(anterograde amnesia)
③ 과거사에 대한 기억상실(retrograde amnesia)

기저핵(basal ganglia)

1) 대뇌 심부에 있는 일련의 핵 집단으로, 대뇌피질, 시상, 뇌줄기 등과 다양하게 연결
2) 구조별 기능
 ♦ 렌즈핵(lenticular nucleus) = 조가비핵(putamen) + 창백핵(globus pallidus)
  - 운동 동작 과정에서 평가와 수정을 포함한 되먹이 역할 수행
 ♦ 꼬리핵(caudate nucleus)
  - 전전두피질의 집행기능을 조절
 ♦ 흑색질(substantia nigra)
  - Dopamine 생성 기능 담당하며, 파킨슨병, 항정신병약물의 추체외로 부작용 등과 연관
 ♦ 시상하핵(subthalamic nucleus)
  - Glutamate 생성 기능 담당하여 흥분성 자극을 전달

간뇌

1. 시상(thalamus)

1) 시상 피질 감각, 운동, 연합계의 3부분
2) 시상에서 정보 중계는 시상 자체와 피질로부터 유입에 의해 조절됨
3) 감각정보의 연결 정거장 역할, 통증의 지각에도 중요

2. 시상하부(hypothalamus)와 뇌하수체(pituitary)

1) 시상하부는 내분비계와 자율신경계의 중추. 수면, 배고픔, 갈증, 감정(애착, 행동, 분노 등), 성, 면역, 자율신경 기능 등을 주관. 이들 기능을 수행하는 핵들의 집합체
 ① suprachiasmatic nucleus (SCN): 하루 주기 리듬(circadian rhythm) 조절★
 ② paraventricular nucleus (PVN), supraoptic nucleus (SON): vasopressin, oxytocin 생성
 ③ mammillary body: 변연계의 일부
2) 복측내측(ventromedial) 시상하부: 포만중추(satiety center)로 이상 시 탐식증과 비만 초래
3) 외측(lateral) 시상하부: 섭식중추(feeding center)로 이상 시 거식증과 기아 초래
4) 시상하부-뇌하수체-부신 축(hypothalamic-pituitary-adrenal axis, HPA axis)
 ① 사람이 몸과 마음에 스트레스를 받을 때, 부신 축은 cortisol 분비 ↑

② 혈중 cortisol 농도는 이른 아침에 가장 높고 저녁에 가장 낮음
③ 주요우울장애, PTSD, 신경성 식욕부진증, 불안관련장애, 치매와 관련

3. 송과체(pineal body)

1) 시상상부에서 발생, 시상과 더불어 간뇌를 구성
2) melatonin 분비: 24시간 주기 리듬 유지와 수면-각성 주기에 내포(밤에 분비)

망상활성계(reticular activating system)

1) 연수 미부부터 간뇌까지 뇌간의 중심에 위치한 부위
2) 수면, 집중력, 기억, 습관성의 형성과 각성 상태를 유지하게 하는 뇌 부위
3) 동기와 각성 수준의 장애를 나타내는 정신장애는 망상계의 병리와 관련이 있을 것으로 생각

신경생화학

신경전달물질(neurotransmitter)

1) 정의: 신경세포와 신경세포 간의 전기적 자극이 시냅스를 통해 간접적으로 전달될 때 이를 전달하는 화학물질을 말함
2) 기준
① 신경세포내에서 합성되어야 한다.
② 시냅스 전 말단(axon terminal)에 존재하고, 탈분극화 신호에 의해 생리적으로 의미 있는(다른 신경세포의 수용체의 특정 효과를 야기할 만큼 충분한) 양이 유리된다.
③ 적당한 농도로 외부에서 주입되었을 때(약물처럼) 내부에서 유리된 신경전달물질과 같은 작용을 나타내야 한다.
④ 세포 내에서 또는 작용 부위인 시냅스 간극으로부터 제거/대사되는 특정 기전이 존재한다.
3) 신경전달물질의 구분
① 생체아민: 카테콜라민(dopamine, norepinephrine), serotonin, acetylcholine, histamine 등
② 아미노산
- 흥분성 아미노산: 글루탐산(Glu), 아스파르트산(Asp)
- 억제성 아미노산: GABA, glycine (Gly), taurine, serine (Ser), proline (Pro)

③ 펩티드: 엔도르핀(endorphin), opioid, substance P, neurotensin, cholecystokinin, somatostatin, vasopressin

신경전달물질의 의의

	경로	기능	증가 시	감소 시	증가 약물	감소 약물
도파민	nigrostriatal : 흑질체(substantia nigra) →선조체(주로 caudate)(D2)	운동 기분조절		파킨슨 추체외로 증상, 틱	L-DOPA amphetamine cocaine nicotine	항정신병약물 (수용체 차단) benztropine, bupropion (전달체 차단)
	tuberoinfundibular : 시상하부 → 누두, 뇌하수체 전엽	prolactin 분비 억제		유즙 분비 무월경		
	mesolimbic(중뇌변연계) : ventral tegmental area (VTA) → 변연계(D2)	감정 보상기전 쾌감(약물)★	조현병 양성 증상★ 조증 물질의존	우울		
	mesocortical(중뇌피질 경로) : VTA → 전전두엽, 측두엽, 피질(D1)			조현병 음 성 증상★	항정신병약물	
노르에피 네프린	locus ceruleus(뇌교의 청반) 에서 기시 → 뇌 전체로 투사	감정, 주의, 각성상태	불안★, 진전 REM 수면 감 소	우울★ ADHD	sympatho -mimetics TCA venlafaxine bupropion nefazodone MAO 억제제	sympatholytics clonidine propranolol
세로토닌	raphe nucleus(솔기핵) 에서 기시 → 기저신경절, 변연계, 대뇌피질로 투사	감정, 공격성 각성, 수면 ★, 식욕, 성욕, 인지기능, *불안, 강박	조증	우울, 강박, 불면★ 공격성	TCA MAO 억제제 SSRI buspirone LSD, MDMA	clozapine risperidone
아세틸콜 린	globus pallidus 및 reticular formation에서 기시 → 대뇌피질, 변연계로 투사	기억등록 보상, 각성, 감각지각	REM 수면 촉 진	치매★ 우울증	Donepezil	
GABA	diencephalon (중뇌, 간뇌에 주로 존재)	불안, 경련	항불안	불안 헌팅턴병	항불안제, 항경련제 BDZ gabapentin baclofen(근육 이완제)	flumazemil (BDZ 길항제)
Gluta- mate	corticostriatal (PFC → BG) thalamocortical 해마 NMDA 수용체	조현병 기억, 학습 장기강화 (LTP)	신경세포 기능 파괴★		phencyclidine (PCP) (환각제)	

1) 조현병: dopamine ↑, GABA ↓
2) 주요우울장애: dopamine/norepineprine/serotonin ↓
3) 불안장애: norepineprine/serotonin ↑, GABA ↓
4) 알츠하이머병: acetylcholine ↓
5) 강박장애, 불면증: serotonin ↓

도파민(dopamine)

1. 합성과 대사

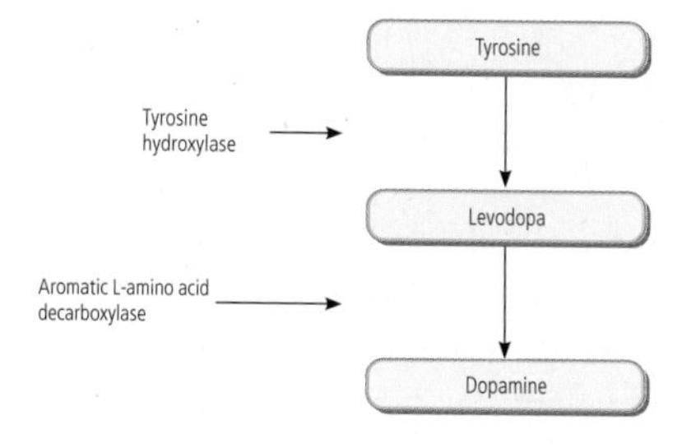

2. 신경경로

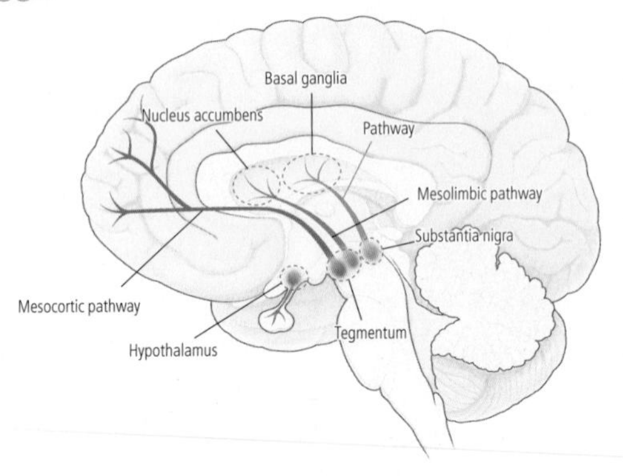

1) 흑질-선조체 경로(nigrostriatal pathway)
   : 흑질체에서 기시하여 미상핵과 피각 등 선조체로 연결
   ① 운동과 주로 관련: 추체외로 증상(EPS)
   ② 운동기능 외에 기분 조절에도 관여
2) 융기-깔대기 경로(tuberoinfundibular pathway)
   ① 시상하부의 arcuate nucleus와 periventricular area에서 기시하여 infundibulum과 anterior pituitary로 연결
   ② 내분비 기능과 관련: 특히 DA ↑ → prolactin ↓, DA ↓ → prolactin ↑
3) 중뇌변연계-중뇌 경로(mesolimbic-mesocortical pathway)
   : ventral tegmental area에서 기시하여 전두엽 및 측두엽 기타 피질과 해마와 편도 등 변연계로 연결.
   ① 항정신병약물의 항정신병 작용은 주로 이 부위에 대한 작용이다.
   ② 조현병과 감정, 특히 각성제, 환각제, 마약의 쾌감과 관련된 장소로 알려져 있다.
   ③ mesolimbic: positive symptom, 보상체계, 중독관련★
   ④ mesocortical: negative symptom에 관여★

노르에피네프린(norepinephrine)

1) 청반 locus ceruleus에서 기시 → 시상하부, 변연계, 대뇌피질 등 뇌전체 회로 연결

2) 뇌의 전체 기능과 관련, 감정, 주의, 각성과 연관됨
3) norepinephrine ↑ : 조증, 떨림, REM ↓ , 학습과 기억 ↑ , analgesic effect, norepinephrine ↓ : 우울증, REM ↑

아세틸콜린(acetylcholine)

1) 주로 기억의 등록기능을 하며, 따라서 알츠하이머병과 관계★가 주목받고 있다.
2) 운동장애: Parkinson's disease, Huntington's chorea, tardive dyskinesia
3) 기분장애와 수면에 관여
① ACh ↑ : REM 수면 증가
② ACh ↓ : 우울증 야기
③ 항콜린성 작용이 심해지면 중추신경계에서 혼돈, 섬망을 일으킨다.
4) 대부분의 니코틴 길항제는 시냅스 전 신경에 대한 길항제 예) D-tubocurarine

+ 항콜린성 작용
- chlorpromazine, TCA에서 항콜린성 독성이 생길 수 있음
- 증상: 입마름, 눈이 잘 안보이고 소변장애, 변비 등
- 심해지면 마비성 장폐쇄증, 녹내장 악화, 혼돈, 환각, 고열, 혼수를 일으킴

세로토닌(serotonin)

1) 합성

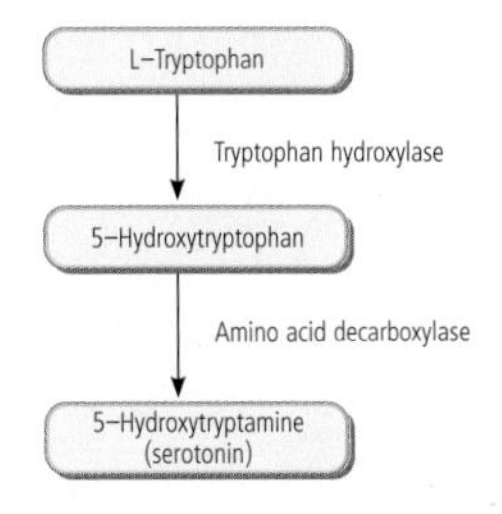

2) serotonin을 함유하는 신경세포는 뇌저에서부터 중뇌 중심부에 자리 잡은 raphe nucleus
3) serotonin 활성 ↑ (조증), serotonin 활성 ↓ (우울증, 공격성, 충동성, 자살)
4) 조현병의 음성 증상에 관여

5) 수면, 섭식, 통증, 체온조절, 심혈관 반응, 성행위, 불안, 우울 등의 기본적인 생리현상들과 연관
6) 멜라토닌 합성

GABA

1) 기능
① GABA 기능 ↑ : 항불안작용
② GABA 기능 ↓ : 경련, 불안
2) GABA 신경세포 ↓
① 운동장애
② Huntington병, 지연성 운동장애 tardive dyskinesia
3) GABA 활성도 ↓
① 도파민과 노르아드레날린성 신경세포를 억제하지 못해 조현병과 조증에 관여
② 예) sodium valproate (GABA ↑ 시킴)를 조증과 조현병에도 사용

3 CHAPTER 인간정신의 발달

삶의 주기: 인간정신의 발달

정상 발달단계에서 나타나는 현상

1) 애착★: 미숙한 개체가 어머니 혹은 다른 성인에게 가까이 있음으로써 생존의 안전을 꾀하려는 다분히 생물학적인 현상
2) 애착행동을 통하여 어머니와 공생적 관계 형성 → 기본적인 신뢰감, 안정감 획득
   ① 사회적 미소(생후 2~3개월): 자기 외의 사람에 대한 첫 사회적 반응, 어머니뿐만 아니라 모든 사람에게 동일하게 나타남
   ② 낯가림(생후 6~7개월): 어떤 특정한 대상(대개 어머니)에 긍정적 반응을 모이고 기타 사람은 얼굴을 구분하여 무서워함
   ③ 분리불안(생후 7~8개월): 이때부터 어머니로부터 떨어지는 것을 두려워하며 소리를 지르거나 하여 어머니로부터 떨어지지 않으려 함

발달단계와 발달과정

	인간의 발달	인지발달(Piaget)	정신성 발달(Freud)	정신사회발달 (Erikson)
영아기 (0~1세)	전적으로 어머니에게 의존 2~3개월 social smile 6~7개월 stranger anxiety 7~8개월 separation anxiety 〈필요환경〉 crying에 즉각적 반응 〈발달과제〉특정 성인과 사회적 유대, 애착, 신뢰감, 기본적 안정감 획득	[감각운동기]: 생후 2세 대상영속성★(9~11개월)	[구강기] 구강기: 과잉욕구-의존적, 자기중심적, 폭주, 애연, 과식, 과욕 적절: 자신감, 관대함	신뢰 vs. 비신뢰, 불신
걸음마기 (1~3세)	걷기 시작, 두 손을 자유롭게 사용 대소변 훈련: 1살부터 시작 행동적 특성: 고집, 부정적, 공격적(temper tantrum) 부모로부터의 1차적 분리-개별화 (separation-individuation): 3세 말 〈필요 환경〉 부모의 적절한 통제, 일관적 행동이 중요, 유아의 공격적 행동, 감정조절 〈발달과제〉 ① 자율성, 독립성 ② 어머니와 분리-개별화(seperation-individuation) + 내재화(internalization): 대상 항상성(object-constancy)	[전조작기] : 2~7세 ① 상징적 (꿈이 실제로 인식-비체계적, 비논리적 사고) ② 자아중심적 사고 ③ 물활론: - 생명이 없는 대상에 생명을 부여 - magical thinking	[항문기] 배설 행위를 두고 부모와 투쟁 완벽, 질서정연, 인색, 양가감정★, 가학, 피학적 성격, 고집, 강박성 적절: 조절, 통제	[초기 아동기] 자율성 vs. 수치, 의심
학령전기 (4~6세)	어머니와의 독립 개체로 출발-다른 가족이나 아버지에게 관심 Oedipal complex, 아버지와 경쟁적 ① 아버지와 동일 시: 남성다움 ② 비밀스런 소원: 죄악감, 공포 ③ 5~6세경 자연스럽게 해소 언어 급성장: 언어라는 상징적 매체이용. 환상, 꿈, 귀신, 도깨비놀이: 학습, 일상생활의 불안 분노 해결 〈필요 환경〉 원만한 부부관계 〈발달과제〉 ① 성역할 ② 가치관, 초자아 성립 ③ 사회적 역할	[전조작기] : 2~7세 ① 상징적 (꿈이 실제로 인식-비체계적, 비논리적 사고) ② 자아중심적 사고 ③ 물활론: - 생명이 없는 대상에 생명을 부여 - magical thinking	[남근기] Oedipal complex Electra complex castration fear (거세공포), 초자아 성립 거세 불안이 해소 안 되면 권위에 지나친 복종, 두려움, 매사에 경쟁적	[후기 아동기] 주도성 vs. 죄책감
학령기 (7~12세)	가정을 벗어나 학교, 단체의식, 사회화, 새로운 인간관계형성(부모와 격리, 규칙, 선생님의 권위, 친구) 지식, 기술 연마 그 자체보다 자신감, 만족감 얻는 게 더 중요. 구체적인 사고를 함 대인관계, 죽음의 영구성 배움 남녀 성구별이 더 뚜렷해짐 - 각각 따로 게임	[구체적조작기] : 7~11세 ① 논리적 사고 ② classification(유목화) ③ 보존개념★(컵의모양이 바뀌어도 물의 양은 같다.) 이해 ④ 도덕적 자율성 획득★	[잠복기] 이성보다 동성친구를 찾는 시기	근면성 vs 열등감★

청소년기 (13~19세)	질풍노도 sturm and drang 혹은 격동 turmoil 초기: 억압 - 지식화 이상주의, 금욕주의, 종교 행동화 - 성비행, 극심한 쾌락주의 중기: 제2의 개별화 시기 후기: 자기 정체감 확립	[형식적 조작기] : 11세~ 추상적 사고, 가설	[성기기] 2차 성징, 성인으로서의 성 확립 심리적 독립, 개인 주체성 확립	자아 정체성 vs 혼돈
초기 성인기				친밀성 vs 소외감
후기 성인기 : 중년기 (40~64세)	Jung: 40세를 인생의 정오(noon)라 함 중년의 위기, 갱년기: 40~50대 초반	후세 양성, 업적		생산 vs 정체 ★
노년기 (65세~)	인생을 크고 넓게 보는 원숙함	지혜		통합 vs 절망 ★

※ Piaget가 주창한 인지발달단계

1) 감각운동기: 지각과 행동을 통해 대상물과 관련된 개념을 지님, 대상 영속성

2) 전조작기

① 비체계적, 비논리적 사고, 그러나 상징적 사고의 비약적 발전

② 자기중심적(협동놀이 불가)

③ 도덕적 타율성(정해진 규칙에 맹목적 복종)

④ 물활론적 경향(animism: 무생물에 생명과 감정부여, 활동하는 것은 모두 살아있음)

3) 구체적 조작기

① 구체적 사물과 행위에 대해서만 체계적 사고

② 보존개념 획득

③ 또래 친구와의 관계를 통한 탈중심화

④ 타율성에서 자율성 이행, 수개념 발달, 대상 분류 가능

4) 형식적 조작기

① 모든 추상적 사고가 가능하며 논리성, 합리성을 토대로 한 추론이 가능해짐

② 가설 설정 가능, 과학적 사고

Freud의 정신분석이론

주요이론

1) 정신적 결정론(psychic determinism): 무의식이란 것이 존재하며, 인간의 모든 심리 현상은 우연한 것이 아니라 주로 과거 경험에 의한 역동적인 무의식적 동기가 있다.
   → 정신분석의 2가지 가설: 무의식의 존재, 정신 결정론
2) 인격의 구조는 자아(ego), 원초아(id), 초자아(superego)로 구성되어 있다.
3) 인간은 최소의 노력을 들여 최대의 효과, 즉 불쾌를 최소로 피하고 쾌락을 최대화하는 쪽으로 심리작용을 나타낸다. 쾌락 원칙주의(pleasure principle).
4) 소아기 발달이 성숙에 중요하다.
5) 역동적 연상 개념과 진화론적 발달과 개념을 발전시켰다. 즉, 자유연상(free association)의 기법을 창안하여 역동적 무의식을 분석하여 치료에 이용하였다.
6) 히스테리 환자의 정신분석치료를 통하여 성적 갈등으로 구성된 무의식적 심리 현상을 밝혀내고 인간 발달의 정신 성적 발달론을 주장(libido의 중요성 주장)

꿈의 형성

1) 현실에서 받아들이기 어려운 소망을 무의식 속의 검열기관이 변형시켜 꿈으로 표현
   → 소망 충족과 수면 유지의 달성
2) 프로이트의 꿈의 3가지 요소
   ① 잠재몽(latent dream): 발현몽을 일으킨 무의식적 근원이 되는 내용(의식하지 못함)
   ② 꿈작업(dream work): 잠재몽을 발현몽으로 만들어 가는 과정
   ③ 발현몽(manifest dream): 꿈을 꾼 내용, 잠에서 깨어나 기억하는 내용
3) 꿈의 변형(꿈작업)
   ① 압축(condensation): 둘 이상의 아이디어가 하나의 이미지로 결합
      (예) 꿈속의 인물이 얼굴은 아버지, 몸통은 동생과 같다.
   ② 전치(displacement)★: 한 대상의 에너지가 다른 대상으로 옮겨감
      (예) 애인에 대한 살의가 꿈속에서는 외국인 이성에게로 향함
   ③ 상징화(symbolization)★: 다른 아이디어나 대상으로 표현
      (예) 강아지는 아이, 꽃은 사랑하는 사람

④ 2차 개정(secondary revision): 1차 과정에 의해 형성된 기괴한 꿈을 의식상태에서 받아들여질 수 있도록 다듬는 2차 과정(꿈이 어떤 줄거리를 갖게 됨)

지형학적 이론(topographical theory) = 지정학적, 지층학적

: 초기 Freud 이론

1) 의식: 주관적으로 경험하는 현상으로서, 언어나 행동을 통해서 알 수 있다.

2) 전의식

① 의식의 밖에 있으나 집중 시 의식화

② 의식계가 무의식계에 압도당하지 않게 보호

③ 의식과 마찬가지로 2차 과정 사고(secondary process thinking)의 지배를 받음

3) 무의식

① 욕구, 본능, 일부의 자아, 초자아의 기능을 포함

② 특징

- 본능적 욕구와 밀접하게 관련되어 있고
- 쾌락원칙을 따르며 1차 사고과정(primary process thinking)으로 이루어짐
- 무의식계의 내용물은 언어와 분리되어 있고
- 검열을 통과하여 전의식을 통해서만 의식화될 수 있음

구조적 이론(structural theory)

: 후기 Freud 수정이론, 이드의 전부, 초자아의 대부분, 자아의 상당 부분이 무의식에 존재

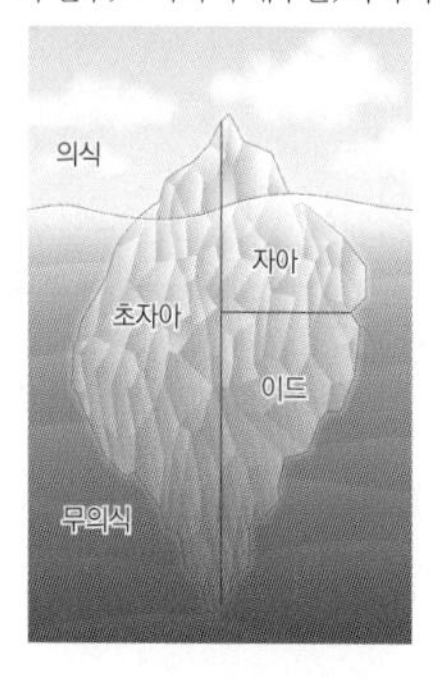

1. 이드(원초아: id)

1) 성격의 가장 원초적인 부분으로 기본적인 생물학적 반사 및 충동을 포함
2) 1차적 사고과정: 전적으로 무의식적 사고과정으로 사고는 현실을 무시하고 자유롭게 변화하거나 압축되거나 상징으로 나타나거나 하며, 정상적인 시간 개념이 없고, 욕망 성취의 환상이 작용한다.

2. 자아(ego)

1) 현실을 감지하고 고려하는 데서 형성되기 시작, 자아는 그 현실에 맞도록 개인을 조정해 가는 집행 부분
2) 자아는 주로 전의식이라 불리는 영역에 머무른다. 또한 자아도 부분적으로는 무의식적이다. 예를 들어 자아는 금지된 사고를 완전히 무의식적 방법으로 억압한다.
3) 자아의 기능
   ① 이드의 욕구를 현실 원칙에 맞추어 조정
   ② 행위의 결과를 예측하여 판단한다.
   ③ 현실 검증을 한다.
   ④ 정신현상의 다양한 요소들을 일관성 있게 종합한다.
   ⑤ 갈등으로부터 비교적 독립된 정신기능: 감각, 학습, 지능, 직관, 언어사고, 운동
   ⑥ 방어기제를 운용하여 내부 또는 외부의 위험 상황으로부터 개체를 보호한다.
   ⑦ 초자아의 요구와 희망을 현실에 맞춰 억제하거나 조정한다.
4) 자아는 억압 등 방어 기제를 사용: 자동적이며 무의식적이다.
5) 자아의 가장 중요한 기능: 현실 파악(reality testing) → 현실 원칙에 의해 나타나는 합리적 사고를 2차적 사고(secondary process thinking)라 한다.
6) 자아는 부모와의 닮음, 즉 동일시에 의해 형성되기 시작한다.

3. 초자아(superego)

1) 자아가 발전하는 과정에서 남근기(phallic stage)에 부모와 사회의 금지와 도덕 규범을 동일화하는 데서 생겨난다. 즉 오이디푸스적 위기의 산물이나 이 시기 이후에도 초자아가 계속 발달한다.
2) 초자아는 개인의 양심, 도덕심★, 자아, 이상이 그 내용이 되며 의식적이 되기도 하나 대부분 무의식적이다.

정신성적 발달(psychosexual development)

: 인격발달을 Freud는 성적 본능의 발현의 양상에 따라 5단계로 나눔

1. 구강기(oral stage: 0~1.5세): 입이 쾌감의 근원이 되는 시기

1) 자기애(autoerotism narcissism)가 특징: 손가락 빨기
2) 이 시기에 성격이 고착되면 구강적 성격(oral personality): 의존성, 자기 중심성, 미숙, 수동성, 먹거나 마시거나 말하는 행동에 치중하는 등의 특징
3) 이 시기의 공격성은 행동화로 나타난다.

2. 항문기(anal stage: 1.5~3세)

: 항문이 쾌감의 근원이 되는 시기

1) 신체 근육(특히 배변 훈련)의 조종과 통제가 중요한 행동요소이다. 그에 따른 칭찬과 징벌은 중요한 결정인자이다.
2) 자기 통제에 의한 자율성이 형성된다.
3) 이 시기에 고착되면 항문기적 성격(anal personality)이 된다.
   → 강박성, 완벽성, 양가성, 가학적 및 피학적, 죄책감 등의 특징★
4) 이 시기의 공격성은 과도한 방출적 행동화 또는 극단적 보존적 형태를 보인다.

3. 남근기(phallic stage: 3~5세)

1) 성기가 쾌감의 근원
2) 거세공포(castration anxiety), 오이디푸스 콤플렉스(Oedipus complex, 남아가 어머니에게는 애정을, 아버지에게는 질투와 경쟁적인 증오심을 갖게 되는데 이러한 아버지와 어머니, 아이 사이의 삼각관계를 Freud가 명명함), 일렉트라 콤플렉스(Electra complex, 여아에서 아버지와 가까워지고 어머니를 적대하는 행동)
3) 동성의 부모 및 사회 규범을 동일시(identification): 규범을 내재화하면서 자아와 초자아가 발전
4) 이 시기의 갈등 해소가 원만하지 않은 경우에는 성인기의 신경증세와 연관
   • 남아) 거세 공포 해결 안 됨, 권위에 복종, 경쟁적
   • 여아) 남근 선망(penis envy)에 의한 열등감 해소 안 됨 → 이성에 대해 지나친 경쟁심, 적대심

4. 잠복기(latent stage: 6세~사춘기)

1) 본능적 욕구의 잠재화
   : 이성에 대한 관심이 줄어들고 동성의 아이들과 어울리게 된다. → 사회화의 기초
2) 부모에 대한 관심도 친구, 학교 선생님 등에 대한 관심으로 이동

5. 성기기(genital stage: 사춘기 이후)

1) 성기에 관한 관심이 집중되고, 성적 욕구가 쾌락의 근거가 되는 시기
2) 본능적 욕구가 강해지고, 부모로부터 독립

방어기제(Defence mechanism)

분류	방어기제	내용	대표적인 예시 및 연관된 정신병리/질환
성숙한 방어	억제(suppression. 의식적 잊으려 노력)	(성숙한 억압)경험의 쾌락효과를 제거	욕을 듣고 화가 났을 때 맞서 욕하지 않고 자제하며 침착하게 대처 의식적 노력 동반 "생각하지 않으려고요"
	이타주의(altruism)	(성숙한 반동형성)남을 건설적으로 도와 내재화로 대리만족	악덕기업가가 말년에 사회환원 및 기부 '개같이 벌어 정승같이 쓴다'
	유머(humor)	느낌이나 생각을 자신과 타인에게 불쾌하지 않은 방법으로 표현	트집 잡는 거래처 바이어와의 싸한 분위기를 농담으로 누그러뜨림
	승화(sublimation)	억압으로 해결되지 않는 성 · 공격충동을 건설적이고 유익한 행동으로 표현	성적/공격적 에너지를 운동/춤으로 발산
자기애적(정신병적) 방어	부정(denial)	의식적으로 감당하지 못할 욕구, 충동, 현실을 무의식적으로 부정하여 불안 회피	말기 암환자의 병식 상실 죽은 아이의 시신을 업고 다님
	분리(splitting)	이분법적 사고	의사는 모두 훌륭하고, 간호사는 모두 나쁘다 "그 선생님은 너무 나쁜 사람 같아요. 하지만 선생님은 저를 구원한 천사 같아요"
	투사(projection)	(전치의 일종이지만 부정과 밀접) 자기 문제의 원인을 외부로 돌림 (자기 내부 특정 부분을 다른 사람을 통해 봄.)	상대방을 미워하면서 상대방이 자신을 미워하기 때문이라 생각 "다 저 인간 때문이야" 착각, 환각 관계망상, 피해망상
	투사적 동일시(projective identification)	자신의 문제나 충동을 상대방이 대신 표현하도록 교묘하게 유도한 뒤, 다시 그 행동을 따름	부모를 교묘하게 자극해서 먼저 화를 내게 유도한 뒤 거기에 맞서 대드는 것으로 부모에 대한 적개심을 표현 "선생님도 역시 제게 화를 내는군요, 우리 엄마랑 똑같아요."
미성숙 방어	행동화(acting-out)	욕구를 즉각 행동으로 표현	반사회적 성격장애 환자의 폭력이나 강간
	퇴행(regression)	발달의 이전 단계로 되돌아감	동생이 태어나고 생긴 2차성 유뇨증
	함입(내재화)(introjection)	남의 (부정적)속성을(함입) 자신 것으로 받아들여(내재화) 갈등회피	아버지에게 맞고 자란 아이가 아버지가 되어 아이를 구타함
	동일시(identification)	남의 속성을 자신의 것으로(통째로) 받아들임(함입보다 포괄적)	짝사랑하는 담임선생님과 같은 분야를 전공하여 같은 과목 선생님이 됨
	신체화(somatization)	심리적 불편을 신체현상으로 대신 표현	따돌림 당하는 초등학생이 두통을 호소 "사촌이 땅을 사면 배가 아프다"
	전환(conversion)	의식에서 거부된 정신내용이 상징적 의미를 가진 신체현상으로 변화	고참에게 구타당한 병사가 사격훈련 중 갑자기 오른손 검지손가락의 마비를 호소

신경증적 방어	억압(repression. m/c. 무의식. 망각)	바람직하지 못한 충동을 무의식으로 눌러 넣어 버림	슬픈 일에 대한 망각 무의식. "생각이 안나요" 해리성 기억상실, 전환장애
	반동형성(reaction formation)	용납할 수 없는 충동과 정반대로 행동 (반대행동. 무서운 일 집중)	공포의 대상에 도리어 보통 이상으로 몰두 "미운 놈 떡 하나 더 준다"
	고립(격리)(isolation) (정서망각)	가슴 아픈 사건/생각은 기억하나 수반된 정서만 망각	화나는 일도 차분하게 말함 남의 일처럼 아무렇지 않게 말함
	합리화(rationalization)	행동 속의 무의식적 원인 대신 의식이 용납할 수 있는 원인 대기	이솝우화의 "신포도"
	지식화(intellectualization)	지적 활동에 몰두함으로써 감정적 불편을 회피	자신의 구체적 괴로움은 이야기하지 않고 인간의 본성 등의 철학적 주제에 대해 토론하려는 환자
	취소(undoing)	대상에 대한 욕구로 인해 상대가 입을 피해를 상징적으로 만회	"소 잃고 외양간 고치기" 죄의식 때 손씻기
	전치(displacement)	욕구 · 감정 · 충동을 보다 덜 위협적인 대상에게 표현하고 충족(전이 포함)	종로에서 뺨 맞고 한강 가서 눈 흘기기
	해리(dissociation)	받아들일 수 없는 성격이 자아의 통제를 벗어나 독립적 행동	지킬박사와 하이드 해리성 정체성 장애, 해리성 둔주

학습이론(Learning theory), 행동주의(Behaviorism)

고전적 조건 형성(classical conditioning: Pavlov)

1) 개념: 무조건 자극(음식)에 무조건 반응(침이 나온다)을 할 때에, 조건 자극(종소리)을 무조건 자극과 결합해서 제시한 후 나중에는 조건자극(종소리)만 주어도 무조건 반응(침이 나옴)이 나타남.
2) 이러한 조건 반응이 유사한 조건 자극에서도 나타나는 경우를 '자극 일반화'라고 함
3) 공포의 원인 이론을 설명하며, 공포를 없애는 탈조건화는 체계적 탈감작법의 기초

조작적 조건 형성(operant conditioning)

1) 시행착오학습 : 효과의 법칙(유기체는 보상이 수반되는 결과를 낳는 반응을 학습하고 처벌적 결과를 유발하는 반응은 피한다.)
2) 반응 → 자극 형태의 이론 : 반응 뒤에 강화(reinforcement), 행동수정요법에 이용

3) 강화(reinforcement) : 바라던 행동이 나타나면 칭찬, 보상 등을 해주면 좋은 결과가 나타나 행동을 계속하게 되도록 행동 수정을 할 수 있다.

① positive reinforcement : 어떤 행동에 긍정적 결과가 뒤따르기 때문에 그 행동이 보다 빈번해짐. (+) × (+) = (++)

② negative reinforcement : 어떤 행동 뒤에 예상했던 부정적 결과가 없어서 그 행동이 보다 빈번해짐. (-) × (-) = (++)

4) 소거(extinction) : 강화를 시키지 않을 때 발생. 조건자극만 계속하면 조건반응은 사라짐.

5) 변별(discrimination): 특정 자극에 조건이 형성된 후 유사한 자극을 구별하는 것

의식의 장애

1. 정상적 의식

감각, 지각, 인식, 지남력, 주의집중 등에 이상이 없고, 경험을 통해 새로운 관념을 형성할 수 있으며, 관념 간에 합리적 연관을 시킬 수 있고, 일이나 사태의 이해와 파악에 장애가 없음

2. 혼돈(confusion)

의식 손상의 가장 가벼운 상태로 지남력(orientation, 자기 주변 상황 파악 능력)의 상실이 나타남

3. 혼탁(clouding)

감각자극에 대한 지각, 사고, 반응, 기억 등에 장애

4. 섬망(delirium)

급성 뇌증후군(예: 고열, 수술 후, 산욕기, 요독증, 중독상태, 알코올 금단 후 등)의 일반적 증상으로, 지남력의 장애, 정서적인 심한 불안정, 안절부절, 당황, 자율신경 부조화 증상, 착각 및 환각

5. 혼미(stupor) 및 혼수(coma)

1) 혼미: 운동능력을 상실하고 외부자극에 대해 거의 반응하지 않는 상태.

2) 혼수: 어떠한 자극에도 거의 반응이 없으며, 모든 의식 사라지고, 생명 유지만 가능

행동장애

1. 반복행동(repetitive activity)★

1) 상동증(stereotype)

① 객관적으로 아무 의미도 없어 보이는 똑같은 행동을 변함없이 반복

② 예) 단조롭게 손을 비빔, 일정한 거리를 반복적으로 왔다갔다 함

(감별진단) 보속증(perseveration): 뇌 기질적 손상 시 다른 행동이나 말을 하려고 하지만, 새로운 동작이나 말로 넘어가지 못하고 반복적으로 같은 행동을 하는 것

2) 긴장증(catatonia)

① 강경증(catalepsy): 한 가지 자세를 계속 유지하는 것

② 납굴증(waxy exibility): 타동적으로 취해진 자세를 그대로 유지하려는 경향 때문에 관절의 움직임이 밀랍과 같이 됨. ※ 긴장형 조현병

③ 긴장성 흥분(catatonic excitement): 외부자극에 상관없이 격정과 목적 없는 운동증가를 보임

④ 긴장성 혼미(catatonic stupor): 외부환경과 상관없이 운동이 느리거나 움직이지 않는 경우

3) 기행증/현기증(mannerism): 같은 움직임을 반복하는 것

① 환자의 이상한 버릇이 몸동작으로 자주 되풀이

② 예) 누구에게 문책받을 때마다 손목시계를 보는 경우

4) 음송증(verbigeration)

① 의미 없는 단어나 짧은 문장을 반복해서 발성

② 예) 숭늉, 숭늉, 숭늉, 숭늉, 숭늉, 숭늉, 숭늉…

5) 습관성 경련 또는 틱: 신체의 일부를 불수의적으로 반복해서 움직이는 버릇

2. 자동행동/자동증(automatism)

1) 명령자동증(command automatism): 타인의 말에 강박적으로 따르는 경우

2) 반향언어(echolalia)★: 주어진 말을 그대로 따라하는 경우

3) 반향동작(echopraxia): 보여진 행동을 따라하는 경우

3. 거부증/거절증(negativism)

1) 타인의 요구에 반대되는 행동을 하거나 저항의 표시로 반응을 하지 않는 것

2) 함구증(mutism): 말을 할 수 있는 데도 말을 하지 않는 거부증 현상

4. 강박행동(compulsion)

1) 자신의 행동이 불합리한 줄 알면서도 그런 행동을 반복하지 않고는 견디지 못하는 병적인 행동
2) 흔히 강박사고(obsession)를 동반

지각장애 - 각 양상의 큰 범주도 알아둘 것★

착각(illusion) ★

: 외부 자극이 있을 때 이를 잘못 해석하여 지각, 투사에 의해 형성
- 공감각 : 음악소리가 색채로 눈에 보이는 등 한 감각이 다른 감각의 형태로 지각
- 이인증 : 자신의 존재감각이 비현실적이거나 이상하거나 낯선 것

환각(hallucination)

: 외부의 대상이나 자극이 없는데도 감각을 지각, 투사의 기제를 이용, 정상인도 경험
① **입면기 환각, 출면기 환각** : 잠들 때, 깰 때 나타나는 환각으로 정상인도 경험
② 환청, 환시, 환취, 환미, 환촉
- 환청: 환각 중에서 m/c 증상
- 환시: 정신병적 양상 외에도 기질적 정신장애(측,후두엽 병변)에서 흔함

③ 운동 환각, 신체 환각 등

사고의 장애

사고 형태(form of thought)의 장애

1. 정신증(psychosis)

: 현실과 환상을 구별할 수 없는 상태, 현실 검증이 장애, 새로운 현실을 창조

2. 자폐적(autistic) 혹은 내폐적(dereistic) 사고

1) 정신질환 특히 조현병에서 흔히 보이는 형태

2) 외계의 현실에는 전혀 무관심하거나 무시하고 자신만의 세계를 구축함

3. 1차/2차 과정 사고

1) 1차 과정 사고: 사고가 질서나 논리성이 결여
2) 2차 과정 사고: 현실, 지남력, 논리, 시공간의 제약, 일상생활 속의 사고

사고 과정(process of thought)의 장애

1) 사고의 비약(flight of idea) : 사고진행, 연상작용이 비정상적으로 빠름, 기분장애, 특히 조증에서 흔함
2) 우원증(circumstantiality) : 불필요한 묘사를 거친 후 말하고자 하는 목적에 도달
3) 사고의 이탈(tangentiality) : 생각의 흐름이 주제에서 벗어나 지엽적으로 탈선, 결국 목적한 바에 도달하지 못함
4) 사고 두절(blocking of thought) : 사고의 진행을 멈춤, 조현병의 특징적 소견, 심하면 사고 박탈
5) 사고의 일관성
   - **지리멸렬(incoherence)** : **연상이완**이 극단적으로 심한 형태. 조현병에서 보임
   - **사고의 보속증(perseveration)** : 계속적으로 한 단어, 또는 몇 개의 단어만을 반복해서 되풀이하는 경우, 흔히 뇌(전두엽)의 기질적 장애
6) 신어조작증 : 환자가 자기만이 아는 의미를 가진 새로운 말을 만들어내는 현상
7) **음연상(clang association)** : 비슷한 소리. 사고 흐름이 극단적으로 빨라져서 소리가 비슷한 단어만 나열. 예) 종, 종로, 종각….
8) **음송증(verbigeration)** : 계속 같은 단어
9) **말비빔(word salad)** : 비슷한 모양의 명사만 줄이어 내뱉을 때

사고내용(content of thought)의 장애

1. 망상(delusion)★

: False belief, 망상 내용은 그 당시 사회, 문화를 반영
- 피해망상, 과대망상(조증삽화 관련), 빈곤망상/죄책망상/허무망상(우울삽화 관련)
- 사고전파 : 자신의 생각이 방송되어서 모든 사람이 자신의 생각을 안다고 생각

2. 강박사고

1) 강박사고: 특정한 생각이 비합리적이고 부적절하다는 것을 알고 하지 않으려고 애씀에도 불구하

고 본인의 의사와는 무관하게 반복해서 같은 생각 때문에 고통을 받는 사고 형태

2) 강박행동: 강박사고와 함께 나타나는 행동으로 환자는 쓸데없는 행동인지 알지만 그만할 수가 없어서 반복하는 행동

3. 건강염려증(hypochondriasis)

: 불안이나 우울 또는 강박적인 생각과 관련이 깊고 심한 경우 신체 망상으로 대치되기도 함

4. 공포증(phobia)

: 어떤 특정한 대상이나 상황에 대한 병적인 불안을 동반하는 비현실적이고 병적인 두려움

5. 이인증(depersonalization)

"내가 내가 아닌 것 같다. 다른 사람이 된 것 같다."

1) 평소에 자주 보거나 부딪히던 상황이나 물건 등 외부 자극이나 자신의 몸이 갑자기 아주 생소하게 생각되는 상태
2) 우울증, 건강염려증, 강박증, 해리장애, 초기 조현병 등에서 볼 수 있음
3) 정상인에서도 심한 피로나 충격 후에 일어나며 사춘기나 여성에서 더 자주 나타남

감정장애

1. 정동(affect), 기분(mood), 감정(emotion)

1) 정동: 자신에 의해 표현되고 타인에 의해 관찰되는 감정경험(객관적인 정서 상태)
2) 기분: 자신에 의해 주관적으로 경험되고 보고되는 전반적이고 지속적인 감정(주관적인 정서 상태)
3) 감정: 정동과 기분에 관련된 정신적 · 신체적 · 행동적 요소를 포괄하는 복합적인 "느낌(feeling)" 무의식적인 면보다는 의식적으로 받아들여지는 마음속의 어떤 느낌, 객관적이며 대개 생리적인 현상을 동반

2. 기분장애(mood disorder)

1) 고양된 기분(elevated mood): 보통 이상의 즐거운 기분
   ① 다행감(euphoria): 낙관적 태도와 자신감, 유쾌한 기분, 행복감을 느끼는 것
   ② 고양(elation): 즐거운 기분이 넘쳐 행동과 욕구가 과장되어 나타나는 경우
   ③ 의기양양(exaltation): 즐거운 기분이 더욱 고양되어 과대적이 되는 것

④ 황홀경(ecstasy): 가장 극단적 경우로 특이한 초월적 신비감, 전능감 등을 가질 때
2) 우울한 기분(depression): 슬픈 느낌의 정동. 가장 흔한 증상 중 하나
3) 불쾌기분(dysphoria): 즐겁지 못한, 불쾌한, 나쁜 기분
4) 무쾌감증(anhedonia)★: 흥미를 상실하고, 일상적인 일에서 재미와 즐거움을 못 느끼고, 유쾌한 활동에서 위축되고, 우울한 기분에 빠져 있는 경우
5) 애도(mourning, grief): 실제적 상실에 따른 슬픔
6) 감정표현 불능증(alexithymia): 자신의 감정이나 기분을 말로 표현하거나 인식하는 것이 어렵거나 불가능한 경우

3. 불안(anxiety)

실제 외부 위험의 유무에 관계없이 주관적으로 느끼는 두려움의 상태
대개 신체적 현상 동반: 두근거림, 발한, 창백, 호흡곤란, 긴장, 초조, 공황

4. 정동장애(affective disorder)

1) 정동의 부적합성(inappropriateness): 상황이나 생각의 내용 또는 말과는 전혀 엉뚱한 조화롭지 못한 감정상태, 조현병 환자들에서 흔히 볼 수 있음
① 양가감정(ambivalence): 만나면 화를 내며 가라 하고, 가려 하면 잡는다.
동일한 대상이나 상황에 대하여 정반대의 감정이나 태도, 그리고 생각이나 욕구를 동시에 갖고 있는 것. 정상인에서도 나타날 수 있음
② 제반응(abreaction): 고통스러운 기억을 회상한 후 감정적으로 정리하게 되는 것
2) 정동의 둔마와 무감동(blunted affect, apathy)
① 조현병에서 흔함
② 정동둔마: 자신의 느낌을 외부로 적절히 나타내지 못해 감정이 거의 없는 것 같은 상태
③ 무감동: 주관적인 느낌이 없는 것 같으며 객관적인 반응조차도 없는 것

기억장애

※ 기억의 과정 : 등록(registration) - 저장(retention) - 회상(recall)
1) 기억과다/기억항진(hypermnesia) : 조증, 경조증, 편집증, 긴장증 등에서 나타남
2) 기억상실(amnesia)
① **전향** 기억상실(anterograde amnesia)

: 뇌의 병변이 발생한 이후의 일을 기억 못 하고, 그 이전의 일은 정확하게 기억

② **후향** 기억상실(retrograde amnesia)

: 뇌손상 때 이전의 일을 거슬러 올라가면서 상실하고 반대로 회복 시는 이전 일부터 회복되는 경우 예) 간질발작, 연탄가스중독, 전기충격요법, 외상

③ 심인성 기억상실(psychogenic amnesia)

: 등록과 저장은 정상적이나 회상이 안 되는 것으로, 방어와 회피 등의 역동적 목적이 있는 능동적 과정의 결과

④ 기질성 기억상실(organic amnesia)

: 등록 안 될 때(알코올중독이나 두부외상), 저장이 오래가지 못할 때(Korsakoff 증후군) 발생. 기억장애가 전반적이고, 발병은 점진적이며, 회복한다 해도 불완전

3) 기억착오(paramnesia)

① 회상(recall)의 왜곡에 의해 기억의 착오가 생긴 것

② 작화증(confabulation)

- 자신이 기억 못하는 부분을 조작적으로 메우는 현상
- Korsakoff 증후군에서 특징적

4) 기시현상과 미시현상

① Deja Vu(기시현상): 어떤 새로운 상황이 마치 과거에도 경험했던 것으로 잘못 생각

② Jamais Vu(미시현상): 전에 경험했던 실제 상황을 처음 경험하는 것처럼 낯설게 잘못 느끼는 경우

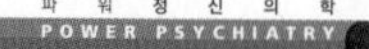

5 CHAPTER 정신과적 평가와 정신과 임상검사

정신상태검사(Mental status examination)

★세부 평가 항목 및 예시를 연결하여 알아둘 것

1. 일반적 기술

1) 외양

① 자세, 몸가짐, 의복, 몸단장 등에서 나타나는 환자의 외양과 전반적 인상을 기술

② 예: 건강해 보인다, 병약해 보인다, 불안정하다, 안정되어 보인다, 나이 들어 보인다, 어려 보인다, 헝클어져 보인다, 천진난만하다 등

2) 행동과 정신운동활동

① 환자의 운동행동의 질적, 양적 양상을 기술

② 예: mannerism, tics, 경축(twitches), 상동적 행동(stereotyped behavior), 반향행동(echopraxia), 과잉행동(hyperactivity), 걸음걸이(gait), 초조(agitation), 호전성(combativeness), 융통성(flexibility), 경직성(rigidity), 민첩성(agility)

③ 정신운동지연(psychomotor retardation)

3) 태도

① 협조적, 우호적, 관심과 주의를 기울이는지, 솔직한지, 방어적인지, 유혹적인지, 모욕적인지, 어리둥절한지, 덤덤한지, 적대적인지, 장난기가 있는지, 비위를 맞추려 애쓰는지, 회피적인지, 경계하는지

② rapport의 수준

2. 기분과 정동

1) 기분(mood)

① 지배적이고 지속적인 감정으로서 그 사람의 세계에 대한 지각이 전반적으로 영향을 받는다. 자신의 느낌에 대한 환자의 설명으로부터 추정한다.

② 기분의 깊이와 강도, 지속시간, 기복 여부

③ 예: 우울, 절망, 자극과민성(irritable), 불안, 분노, 공허, 죄책감, 자기혐오, 공포, 당황, 들뜸(elated), 다행감(euphoric)

④ 유동정동(labile)

2) 정동 혹은 감정반응성(affect)

① 환자의 얼굴 표정 등 모든 표현 행동의 양과 질, 범위로부터 추정되는 감정. 다르게 말해 환자의 내적 경험의 외적 표현

② 정동은 기분과 일치할 수도(congruent) 있고 안 할 수도 있다.

③ 감정의 깊이: 정상 범위 내, 제한됨(constricted), 둔함(blunted), flat

3) 적절성

① 환자가 말하는 내용의 맥락(context)과 감정반응을 비교하여 평가한다.

② 예: 조현병 환자가 다른 사람을 해치고 싶은 충동을 이야기하면서 무감동한 정동을 보인다면 부적절하다고 할 수 있다. 반면에 우울증 환자가 걱정거리를 이야기하면서 우울하고 괴로운 감정을 드러낸다면 적절하다고 할 수 있다. 환자의 사고 내용뿐만 아니라 사회문화적 배경이나 면담상황에 비추어 적절한지 평가할 수 있다.

3. 말과 언어

1) 말의 양, 속도, 질 등을 기술

2) 말이 많은 편인지 적은 편인지, 장황한지 달변인지, 검사자의 질문에 쉽게 반응하는지 어렵게 반응하는지, 말의 속도와 소리의 크기는 어떤지, 힘주어 말하는지, 소리는 큰지, 감정이 실려 있는지, 단조로운지, 말을 더듬는지, 이상한 리듬이 있는지

4. 지각(perception)

1) 환각(hallucination) 또는 착각(illusion)

2) 관여된 감각기관: 청각, 시각, 후각, 촉각

3) 환각이 일어나는 상황: 입면환각(hypnagogic hallucination)과 출면환각(hypnopompic hallucination)은 그 중요성이 덜하다.

4) 이인증(depersonalization), 비현실감(derealization)

5) 환각 경험을 알아보는 질문: "다른 사람은 들을 수 없는 사람 목소리나 무슨 소리를 들은 적이 있

습니까?", "주위에 아무도 없는데 무슨 말소리를 들은 적이 있습니까?"

5. 사고(thought)

1) 사고의 과정

① 생각의 양이 많은지 적은지, 사고의 속도는 어떠한지

② 대답이 질문에 대한 것인지(relevant) 그것과 무관한 것인지(irrelevant)

③ 연상이 산만하고 느슨한지, 환자의 설명에 원인과 결과의 맥락이 분명한지, 사고의 연속성이 있는지, 목표지향적인 사고를 할 수 있는지

④ 사고과정장애의 예: 연상의 이완, 사고의 비약, 사고 이탈, 우원증(circumstantiality), 말비빔(word salad) 혹은 지리멸렬(incoherence), 신어조작증(neologism), 음향연상(clang association), 동음이의(punning), 사고차단(thought blocking)

2) 사고의 내용

① 사고내용장애의 예: 망상, 집착, 강박사고, 강박행동, 특정공포, 자살 혹은 타살에 관한 사고관계사고, 영향사고(ideas of influence)

② 망상

㉠ 환자의 문화적 배경과 어울리지 않는 잘못된 믿음으로서 고정되어 바뀌지 않는 것

㉡ 기분과 일치할 수도(congruent) 있고 일치 안 할 수도(incongruent) 있다

㉢ 종류: 피해 혹은 편집망상(persecutory or paranoid), 과대망상, 질투망상, 죄책망상, 허 무망상(nihilistic), 색정망상(erotic)

6. 감각과 인지(sensorium and cognition)

1) 각성과 의식수준

① 대개 기질적 뇌기능장애를 의미한다.

② 의식혼탁: 환경에서 오는 자극에 대한 주의를 지속할 수 없거나 목표지향적 사고나 행동을 지속할 수 없다.

③ 명료(alert), 의식혼탁(clouding), 졸음(somnolence), 혼미(stupor), 혼수(coma), 기면(lethargy), 둔주(fugue)

2) 지남력(orientation)

① 대개 시간, 장소, 사람에 대한 순서로 장애가 오며 호전될 때에는 역순을 따른다.

3) 기억(memory): 과거의 사건, 경험, 사실, 인상 등을 회상하는 능력

① 즉각 기억(immediate memory)

㉠ 수초 전의 일

㉡ attention 능력과 연관이 있으며 기억의 다른 모든 면에서 필요하다.

ⓒ 측정 예: digit span test (숫자 4~7개를 불러주고 앞으로 혹은 거꾸로 말하게 함)

ⓓ 임상 예: 섬망

ⓔ localization: language cortex

② recent memory

ⓐ 수 개월~수 분 전 일

ⓑ 새로운 정보를 학습하고 회상하는 능력이다.

ⓒ 측정 예: 3 words 5 minute recall, 지난번 식사 때 무엇을 먹었는지

ⓓ 임상 예: Korsakoff 증후군, 알츠하이머병(초기)

ⓔ localization: limbic structures

③ remote memory

ⓐ 어린 시절~수 년 전 일

ⓑ 어린 시절의 명백한 일, 일반적 상식 등

ⓒ 면담 중에 환자의 과거력을 청취하면서 알 수 있다.

ⓓ 임상 예: 알츠하이머병(후기)

ⓔ localization: association cortex

④ 작화증(confabulation): 기억이 손상되어 무의식중에 없는 일을 만들어서 대답한다.

4) 집중과 주의

① 인지장애, 불안, 우울, 환청과 같은 내적 자극에서 생길 수 있다.

② 100에서 7 혹은 3을 차례로 뺄셈을 한다. 더 쉬운 계산을 시켜본다.

5) 읽기와 쓰기

- 문장을 읽고 쓰게 한다. 문장의 행동을 시켜본다.

6) 시공간능력(spatial ability)

- 시계판이나 맞물려 있는 오각형 도형을 그리게 한다.

7) 추상적 사고(abstract thinking)

① 공통점: 사과와 배, 혹은 기차와 자전거의 공통점을 묻는다.

② 속담의 의미: 소 잃고 외양간 고친다...

8) 상식과 지능

① 상식과 연관된 질문: 우리나라 대통령은? 가장 동쪽의 섬은?

② 환자의 교육수준과 사회경제적 수준을 고려해야 한다.

7. 충동 조절

1) 성적, 공격적, 기타 다른 충동을 조절할 능력을 말하며 환자 자신과 타인에 대한 잠재적 위험성을 평가하는 데 중요하다.

2) 예: 인지장애, 정신병적 장애, 성격장애 등
3) 환자의 최근 이력과 면담 중의 관찰로 평가

8. 판단과 병식

1) 판단(judgement): 자신의 행동의 결과를 이해하고 그에 따라 행동하는지? (social judgement), 가상의 상황에서 어떻게 행동할지? (test judgement)
2) 병식(insight): 자신의 질환에 대한 인식과 이해의 정도로서 다음의 수준으로 나눈다.
   ① 질병의 전적인 부정
   ② 병들었으며 도움이 필요한 상태라는 인식이 조금 있지만 동시에 이를 부인함
   ③ 병들었음을 인정하나 그 원인이 기질적 요인이나 외적 요인 혹은 타인에게 있다고 생각함
   ④ 병들었으나 그 원인이 환자 자신에게 있는 무엇인가 알 수 없는 것 때문으로 여김
   ⑤ 지적 병식(intellectual insight): 자신의 비합리적 정서를 알지만 이 지식을 향후의 경험에 적용하지 못함
   ⑥ 참된 감정적 병식(true emotional insight): 환자 자신과 자신의 일생에 중요한 인물들의 동기와 느낌을 잘 알고 그러한 앎이 행동의 근본적인 변화를 일으킴

9. 신뢰도

- 환자의 진실성과 정확성에 대한 검사자의 인상을 기록

심리검사

1) **객관적 인성검사 : 미네소타 다면적 인성검사(MMPI)**

타당도 척도	내 용
무반응척도(?)	생략되거나 중복 표기된 빈도로 이 항목이 클 경우 다른 척도들의 신뢰도가 떨어진다.
허구척도(L)	자신을 좋게 보이려는 고의적이고도 부정직하며 세련되지 못한 시도를 측정하려는 척도
신뢰도 척도(F)	생각이나 경험이 일반대중들과 다른 정도를 측정
교정척도(K)	정신장애를 가지고 있으면서도 정상적인 프로파일을 보이는 사람들을 식별 – 방어성, 경계심

[MMPI에서의 임상척도]

Hs (hypochondriais)	건강염려증
D (depression)	우울증
Hy (hysteria)	히스테리
Pd (psychopathic deviate)	반사회적 성격
Mf (masculinity–femininity)	남향성, 여향성 흥미 척도

Pa (paranoia)	편집증
Pt (psychasthenia)	강박증
Sc (schizophrenia)	조현병
Ma (hypomania)	경조증
Si (social Introversion)	사회적 내향성

① 신경증적 경향(Hs, D, Hy 등 세 척도)
② 정신병적 경향(Pa, Pt, Sc, Ma 등 네 척도)
③ 반사회적 정신병질(Pd, Mf, Ma 등 세 척도)

2) **주관적 인성검사 : 투사적 검사법**
① **로르샤하 검사(Rorschach test)** : 10장의 잉크, 얼룩 그림을 물어 성격을 투사하게 하여 그 개인의 인격 성향을 추론
② **주제통각검사(TAT)** : 여러 가지 인물 또는 상황을 그린 20장의 그림 카드
③ **문장완성 검사(SCT)** : 불완전한 문장을 읽고 **의식적 연상**을 시켜 적도록 한다.
④ **단어연상검사(word association test) :** 단어 주고 그리기
⑤ 인물화검사(DAP)
3) 지능검사 : **WAIS**(웩슬러 성인용/소아용 지능검사)
4) 지각 및 기억력 검사
① **Bender-Gestalt Test(BGT) : 기질성 정신 장애를 평가**, 일정한 기하학적 도형을 묘사
② Benton visual retention test, Kon's block design construction test
5) 신경심리검사 : 뇌손상의 유무, 정도, 부위를 측정하고, 뇌와 행동의 관계를 규명

신체진찰, 검사실 검사, 영상검사

1) 신체 병력과 혈액검사, 신기능(약물치료, 특히 리튬 치료 시 필요), 간기능, 갑상선기능, 전해질, 혈당, 소변검사, 흉부 및 두부 X-선, 매독항체검사(VDRL), HIV (AIDS)
2) 영상검사를 통해 뇌실 확장, 피질 위축, 종양, 혈관장애, 좌우 비대칭성 등 구조를 조사하고 뇌증후군을 진단하며, 특히 MRI는 구조뿐만 아니라 일부 기능의 변화까지 영상화.
3) 뇌파검사: 뇌전증의 가능성이 있는 경우 시행
4) 수면다원검사: 수면과 관계된 장애(불면증, 야간 근연축, 수면무호흡증, 야뇨증, 몽유병) 평가에 이용

6 CHAPTER 신경인지장애

섬망(Delirium)

1. 정의

: 신체질환이나 약물의 중독, 금단과 같은 의학적 상태로 인해 단기간에 걸쳐 나타나는 의식 및 전반적 인지기능의 저하

1) 중추신경계의 광범위한 손상에 의해 일어나는 인지기능의 손상
2) "**급성★**"으로 발병하며 가역적이고 기간은 1개월 이내
3) 독립된 질병이 아니라 다양한 질병상태나 약물 등에 의해서 나타나는 증후군

2. 원인

1) 전신 감염
2) 수술 후 상태
3) 대사장애
4) 저산소증, 저혈당증, 전해질 불균형
5) 간질환 또는 신장질환
6) 티아민(thiamine) 결핍
7) 약물중독 및 금단
8) 고혈압성 뇌증후군
9) 뇌전증, 두부손상 후 의식 회복 단계, 스트레스 후
10) 섬망 유발 약물: 진정제(알코올 포함), 수면제, tranquilizer, 항콜린성 약물(예: 저역가 약물 chlorpromazine), 항고혈압제, 강심제, disulfiram, 마약성 진통제, 스테로이드

11) 섬망을 일으킬 수 있는 위험요소: 노인, 심장수술, 화상, 뇌손상, 약물 금단, AIDS

3. 임상양상

1) 주증상은 <u>**의식혼탁(clouding of consciousness), 인지기능(특히 주의력) 장애**</u>
2) 인지기능의 전반적 장애: 기억장애, 지남력(orientation) 장애가 m/c
3) 정신운동장애, 안절부절, 과잉행동, 수면-각성 주기의 현저한 장애
4) 착각, 환각: 환시가 m/c
5) 전구증상: 섬망 수 일 전부터 불안, 불면, 안절부절, 일시적 환각, 졸림, 악몽 등
6) 증상이 밤에 심하고 기복이 심함
7) 어느 연령에서나 가능, 소아와 60세 이후에 흔함

4. 진단 (DSM-5)

1) 집중력 장애(예: 주의를 집중, 유지, 이동시키는 능력의 감퇴), 인식능력 장애(환경에 대한 지남력 감퇴) ("의식과 주의력 저하")
2) 장애가 단기간(대개 수 시간~수 일)에 걸쳐 나타나며, 원래의 집중력과 인식능력의 변화가 있고 하루의 경과 중에도 변하는 경향이 있음
3) 인지에 부가적인 변화가 있음(예: 기억감퇴, 지남력 저하, 언어, 시공간 능력, 지각 능력 등) ("인지와 지각장애")
4) 기준 A, C의 장애는 기존에 존재하거나 확립된 또는 발생 중인 신경인지장애로는 설명이 잘 되지 않음
5) 병력, 신체진찰 또는 검사소견에서 장애가 다른 의학적 상태, 물질중독 또는 금단(예: 남용된 약물이나 의약품), 독성물질에 노출, 다발성 원인에 의한 직접적인 생리적 결과로 볼 수 있는 증거가 있음
   ① 일반적 의학적 상태에 의한 섬망의 경우: 일반적 의학적 상태의 증거가 있어야 함
   ② 물질중독 섬망의 경우: 기준 A 및 C의 증상이 물질 중독 중에 나타나거나 약물사용 시 장애와 원인적으로 관련되거나 둘 중 하나라는 증거가 있음
   ③ 물질금단 섬망의 경우: 섬망이 1개 이상의 원인을 갖고 있다는 증거가 있음
   (예: 1개 이상의 원인적 일반적 의학적 상태, 하나의 일반적 의학적 상태 더하기 물질 중독 또는 약물 부작용)

5. 치료

1) <u>치료원칙(★꼼꼼하게 알아둘 것)</u>
   ① 원인이 되는 질환이나 의학적 상태를 먼저 교정한다.

② 충분한 영양 및 수액공급과 함께 전해질 불균형 교정한다.
③ 대개 입원시키는 것이 좋다.
④ 병실은 조용하고 편안해야 한다. 창이 있는 병실이 좋다.
⑤ 병실을 밤낮 불을 켜 적절한 수준의 감각을 자극한다(조명은 밝지만 은은하게).
⑥ 가족과 지속적인 유대의 환경이 좋다: 돌보는 사람이 일정하고 친숙해야 한다.
⑦ 밤낮, 날짜, 장소, 상황 등을 환자가 알 수 있게 시계, 달력 등을 설치한다.
⑧ 지남력을 유지하기 위해 환자의 이름을 불러주고 TV 등을 켜주는 것이 좋다.
⑨ 외부로부터 적절한 자극을 주어 지나친 자극으로 과민하게 되는 것과 감각박탈을 예방한다.
⑩ 불필요한 외부자극은 최소화: 강한 불빛, 그림자, 소음 등
⑪ 주위에는 낯익은 물건이 있어야 한다.
⑫ 의사와 간호사를 바꾸지 않는다.
⑬ 사고 예방에 신경을 쓴다.
∴ 신체결박, 밤에 너무 시끄럽거나, 조용하게 불을 다 끄는 것은 피한다.

2) 약물요법
① 정신병 상태(자신과 타인에게 위해의 우려 있을 때)와 불면증에 초점
② 급성기(심한 흥분) : 항정신병약물(haloperidol, risperidone 등)
③ 수면장애 시 : 반감기 짧은 benzodiazepine계 약물(triazolam, lorazepam)
∵ Barbiturate, chlorpromazine(항콜린성 효과↑), thioridazine은 금기

6. 경과 및 예후

1) 급성으로 발병하여 유발요인 제거되지 않는 한 존속
2) 원인 제거 시 3~7일이면 증상 완화, 일부는 2주 정도 지속
3) 회복 후에는 당시 상황을 부분적으로 회상, 일종의 악몽으로 기억

치매(Dementia)

1. 분류

1) 원발성 퇴행성 치매 : **알츠하이머형 치매, m/c** (50% 이상)
2) **혈관성 치매** : 다발성 경색 치매, 2nd m/c(10~20%)
3) 다른 원인에 의한 치매(퇴행성 신경질환)
①**Pick 병 : 전두/측두부 침범**, 초기 다른 인지 기능은 잘 유지되나 **성격변화와 행동장애가 현저**

② **루이소체(Lewy body) 치매: 환시, 파킨슨 증후군, 항정신병약물에 민감하게 나타나는 추체외로 증상**이 특징적

2. 감별진단

1) 치매와 가성치매의 감별★

임상양상의 특징	치매	가성치매(우울증)
발병양상	서서히 진행하고 불명확함	급작스럽고 명확함
선행되는 문제점	기억장애	기분장애
지속기간	장기간 지속	단기간 지속
기분	변화무쌍한 기분과 행동	비교적 일관된 우울
인지기능장애	비교적 일관됨 (최근 사실에 대한 기억능력 등)	시시각각 변화를 보임 (어려운 과제 수행이 힘듦)
인지장애의 호소	장애를 감추려고 함	장애를 부풀려 호소함
정신상태검사상 특징	근접한 오답, 작화증, 보속증	모른다하면서 검사를 포기함
주의력과 집중능력	불완전함	비교적 잘 보존됨
정신질환의 병력	흔하지 않음	흔함

2) 치매와 섬망의 감별

치매	섬망
만성적, 점진적 발생 초기에는 의식수준은 정상 각성 수준은 정상 대개 진행성이며 황폐화되어 간다. 요양소나 정신병원에서 잘 발견됨	급성, 빠른 발병 의식수준이 혼탁 격정, 혼미 흔히 경과가 가역적 내과, 외과, 신경과 병실 등에서 잘 발견됨

3. 치료

1) 자극이 적은 환경에서 규칙적 생활

2) 지지적 정신치료, 환자와 가족에 대한 정서적 지지, 현실 지남력 훈련

3) 약물치료

① **cholinesterase 억제제(donepezil, rivastigmine)** : 기억력 감퇴 진행 억제

② 항정신병약물(haloperidol, risperidone 등) : 행동장애 문제(폭력성, 공격성), 정신병적 양상(망상과 환각) 등의 조절

③ benzodiazepine : 불면과 불안

알츠하이머병

1. 역학

1) 퇴행성 질환으로 전체 치매 환자의 50~60%를 차지
   ① 조발성: 65세 이전 발병, 진행이 빠름
   ② 만발성: 65세 이후 발병, 서서히 진행, 주로 기억장애
2) 위험인자★
   ① 고령
   ② 여성
   ③ 낮은 교육수준
   ④ 두부손상의 기왕력
   ⑤ 출생 시 모친의 연령(40세 이상)
   ⑥ 알루미늄 등의 기타 중독
   ⑦ 가족력
   ⑧ Down 증후군
   ⑨ presenilin-1 (PS1, 14번 염색체), presenilin-2 (PS2, 1번 염색체) 이상
   → 알츠하이머병의 위험인자로서 현재 분명한 것은 유전적 요인과 노화

2. 병태생리

1) 대뇌의 일차적인 병변인 신피질 choline 전달의 기시부인 Meynert 기저 신경절의 큰 신경세포들의 퇴행성 병변 → acetylcholine계 활성이 감소★
2) 뇌 조직에 알루미늄과 마그네슘 농도가 ↑
3) 뇌의 피질 및 피질하 회백질의 전반적인 신경세포 상실
   → 노인성 반점 senile plaque (+)
4) 해마와 편도에 신경원 섬유총 neurofibrillary tangle
5) 전두엽, 측두엽 부위: 과립공포변성(granulo-vascular degeneration)
6) β-amyloid 단백질이 세포 내외 혈관에 침착

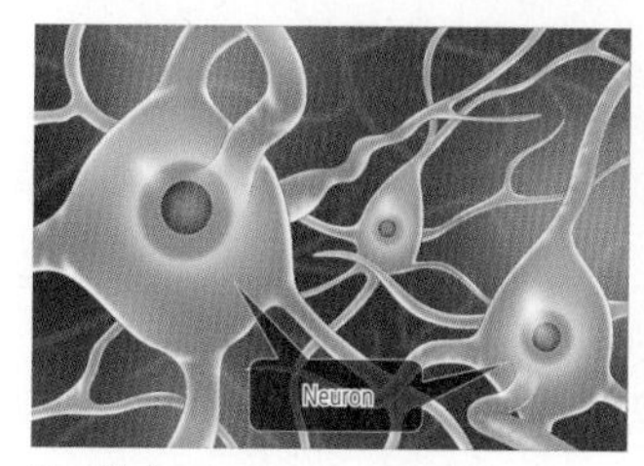

Normal brain

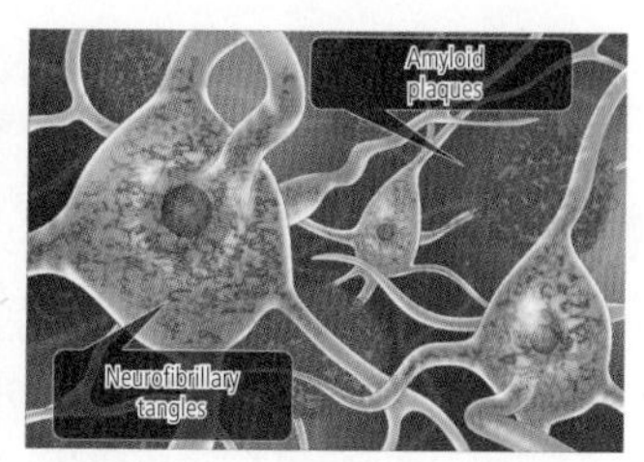

Alzheimer's brain

3. 전형적인 특징

1) 알츠하이머병은 40~90세 사이에 발병
2) 기억력과 다른 인지기능들이 서서히 점진적으로 저하
3) 병전과는 다른 행동양상
   ① 수동적, 자발성 저하
   ② 환자가 본인의 인지기능장애를 알게 되면서 우울 증상이 흔히 발생, 우울 증상으로 인해 인지기능장애 더욱 심화
   ③ 질병의 후반기에 갈수록 행동문제나 정신 증상 자주 발생
4) 기억장애의 가족력 있음
   ① 알츠하이머병 환자의 40%는 가족력이 있음
5) 질병의 초반기는 신경학적 검사, CT, EEG, CSF 검사 등에서 이상 소견 찾기 어려움
   ① 병적인 변화를 가장 민감하게 반영하는 방법은 PET
   ② 조기 알츠하이머병 환자 특징적으로 두정-측두엽 부위의 포도당 대사율이 비대칭적으로 저하, 질병이 진행되면서 전두엽 부위의 연합피질로 퍼져나감

4. 알츠하이머병의 단계별 증상

1) 증상의 시작은 서서히, 경과는 일정하게 점진적으로 나타난다.
2) 초기: 기억력 장애만이 유일한 증상이거나 무감동, 일관성 결여, 사회 교류로부터 은둔 등 미묘한 인격변화가 온다.
3) 중기: 여러 지각장애가 두드러지며, 행동이나 인격이 더 명확히 영향
4) 후기: 완전히 말이 없어지고 주의력이 결여되며, 지적 능력 상실, 특히 기억력, 판단력, 추상적 사고, 기타 고유 피질 기능의 장애와 인격 및 행동 변화가 나타난다. 차차 완전히 자신을 돌볼 수 없는 상태로 된다.

5. 선별검사 : 간이형 정신상태 검사(mini-mental state examination : MMSE)

→ 지남력(시간/장소), 기억등록/회상, 주의집중 및 계산, 언어 및 시공간구성 능력 평가

혈관성 치매

1) 2번째로 흔한 치매의 원인이며 전체 치매 환자의 10~20%
2) 위험인자: 고혈압, 심장질환, 흡연, 당뇨병, 비만, 뇌졸중의 기왕력
3) 손상된 해부학적 위치와 손상의 정도와 관련
   : 피질하 열공성 뇌경색(subcortical lacunar infarction)이 70% 정도로 가장 흔함

4) 기억상실, 지적장애, 국소적 신경학적 증후

[알츠하이머병과 혈관성 치매의 감별★]

임상양상	알츠하이머병	다발성 경색성 치매
발병률	여자에 많다.	남자에 많다.
발병시기	늦게 발병	일찍 발병
경과	서서히 진행	단계적 진행
두통, 현훈, 졸도, 경련, 착란, 뇌졸중	−	+
심장질환, 신장질환, 망막질환	−	+
지적장애	전반적	부분적

기타 원인에 의한 치매

1. 전두측두엽 신경인지장애(fronto-temporal neurocognitive disorder, FTD)

1) 주로 전두-측두부를 침범하며 비가역적 치매의 5%

과거 Pick's disease, corticobasal degeneration, progressive supranuclear palsy 등으로 불림

2) 남자에서 더 많음

3) 성격변화와 행동장애가 현저함, 병의 초기에는 다른 인지기능은 잘 유지

① 점진적 행동과 성격의 변화가 특징인 행동유형

② 언어장애가 특징인 언어유형

③ 또는 두가지 장애 모두 나타나는 장애 등 세 유형이 있다.

4) 정신병적 양상이나 행동장애가 심할 경우 항정신병약물치료★: clozapine, risperidone, quetiapine, aripiprazole

2. 루이소체 치매(dementia with Lewy body, Lewy body disease)

1) 점진적으로 진행하는 퇴행성 질환

2) 알츠하이머병과 비슷하지만 질병 초기에 환시, 파킨슨 증후군, 추체외로 증상이 특징

3) 다른 퇴행성 질환에 의한 일차성 치매와는 달리 상기 증상들이 임상경과에 따라 변동하는 양상

4) 기억력장애보다는 주의력결핍과 시공간 및 구성능력의 장애가 심함

5) 병리 소견상 루이소체(Lewy body)가 대뇌피질과 뇌간에서 특징적으로 발견

6) **항정신병약물(haloperidol)에 민감해서 소량으로도 심한 추체외로 증상이 유발**

7) 약물치료: donepezil (cholinesterase 억제제), risperidone (비정형 항정신병약물)

3. Creutzfeldt-Jakob병

1) 다양한 신경학적 이상과 함께 실어증, 실인증 등의 피질성 치매

2) 뇌파상 배경 리듬이 느려지면서 특징적인 삼상파(triphasic) 뇌파 소견

3) 뇌에 해면상 변성, 염증성 면역 반응이 없어짐

4. Huntington병

1) 무도병, 치매, 가족적인 발병이 특징

2) 피질성 치매의 증상은 적고, 운동장애가 보다 심하다.

3) 기억력, 언어, 병식은 질병의 초기나 중기까지 비교적 잘 유지

5. Parkinson병

흑질의 퇴행성 변화로 dopamine이 결핍되어 운동이상이 나타남

뇌외상/물질약물유도성 신경인지장애

1. 뇌 외상에 의한 신경인지장애 원인

1) 원인: 개방성 두부외상, 뇌좌상, 뇌출혈, 산소결핍 등에 의한 광범위한 뇌손상

예: 장기간 두부손상을 받은 권투선수의 펀치 드렁크 증후군(punch drunk syndrome)

2) 진단

뇌외상에 의한 신경인지장애(Neurocognitive disorder due to Traumatic Brain Injury)

A. 주요 및 경도 신경인지장애의 기준에 맞으며,

B. 두부에 직접적인 가격 또는 두개골 내의 뇌의 급격한 움직임이나 이동을 일으키는 다른 기전 등 외상성 두뇌 손상의 증거가 있고

C. ① 의식소실, ② 외상후 기억상실, ③ 지남력 상실 또는 혼란, ④ 신경학적 징후(예: 신경영상학적 증거, 발작의 발생, 기존의 발작장애의 악화, 시야의 위축, 무취증, 반신마비) 중 한 가지 이상 증상

D. 또한 신경인지장애는 외상적 뇌손상 직후 또는 의식의 회복 직후 나타나며, 급성 외상기간 후까지 지속된다.

2. 물질 유도성 신경인지장애 원인

1) 특히 신경안정제, 수면제, 항우울제, 정신자극제, 환각제 등과 같은 약물들은 과량 사용 시 중독 상태에 이르거나 그로 인한 지속적인 치매를 유발할 수 있다.

2) 신경인지장애가 물질/약물의 중독과 급성 금단의 통상적인 기간을 넘어 지속적으로 나타난다.

3) 진단

물질유도성 유도성 신경인지장애(Substance/medication-induced neurocognitive disorder)
A. 주요 및 경도 신경인지장애의 기준에 맞으며,
B. 그 신경인지장애는 섬망 경과 중에만 나타나지 않고, 중독(intoxication)과 급성 금단의 일상적 기간을 넘어서도 나타난다.
C. 관련된 물질이나 약물, 그리고 사용의 기간과 범위는 신경인지장애를 야기할 수 있는 정도여야 하며, 신경인지장애의 시간적 경과는 물질이나 약물 사용과 금단의 시간 경과와 일치한다.
D. 이 신경인지장애는 다른 의학적 상태 때문이 아니거나 다른 정신장애로 잘 설명되지 않는다.

기억상실장애(Amnestic disorder)

1. 정의

1) 의식혼탁이나 다른 지적 기능 또는 사회적 장애 없이 정상적인 의식상태에서 장기 및 단기 기억력의 장애가 특징적으로 나타나는 것
2) 즉각적인 회상(immediate recall)의 장애는 없다.
3) 기억상실 양태
: 전행성 및 후행성 기억상실, 지남력 장애, 작화증, 불안정한 정서변화, 의욕감퇴, 성격장애 동반

2. 원인

1) 만성 알코올 남용에 의한 Wernicke-Korsakoff 증후군과 두부외상이 가장 흔함
2) 경련, 후뇌대동맥 경색증, 신경계 감염질환, 뇌종양, 다발경화증, 기타 변성 뇌질환
3) 외과 수술 후 손상, 기타 전기충격요법 후
4) 저산소증, 저혈당 등
5) BDZ, 기타 진정수면제 등 약물남용

3. 진단

다른 의학적 상태에 의한 주요 및 경도 신경인지장애
(Major or mild neurocognitive disorder due to another medical condition)
A. 주요 및 경도 신경인지장애의 기준에 맞으며
B. 병력, 신체검사, 또는 진찰 소견상 신경인지장애가 다른 의학적 상태의 병리생리적 결과라는 증거가 있고
C. 인지결핍이 다른 정신장애나 다른 특정 신경인지장애(예: 알츠하이머병, HIV 감염)로는 더 잘 설명되지 않는 장애이다.

4. 임상유형

1) 뇌혈관장애: 해마에 혈관장애가 있고 시각장애와 동반
2) 다발경화증: 뇌실질에 산발적으로 plaque. 주로 측두엽과 간뇌에 생길 때 기억장애가 발생
3) Korsakoff 증후군: 티아민 결핍으로 생기며 만성 알코올 남용, 기타 영양부족, 위암, 혈액투석, 임신 오조 등이 있을 때 생김. 점진적 기억장애와 함께 작화증, 무감동, 수동성, Wernicke 뇌병증 등이 동반되며 충동장애, 보행장애, 안근마비도 나타남
4) 알코올성 건망증: 술 마신 다음 날 술 취한 행동을 기억 못 하는 것으로 "필름 끊어진 것"
5) 일시적 전반적 기억장애(transient global amnesia)
   : 갑자기 최근 사건이나 새로운 정보를 기억하지 못하는 것(전행성 기억상실이 심함). 삽화는 6~24시간 동안 지속되고 완전히 회복. 원인은 미상이나 측두엽과 간뇌의 허혈이 원인으로 추측
6) 벤조디아제핀제: 주로 전행성 기억상실 유발

5. 경과 및 예후

: 발병 원인에 따라 임상양상 경과와 예후가 좌우됨

1) 일과성 기억상실
   : 전기충격요법 후, 측두엽 간질, 진정항불안제 복용, 심장정지 소생술 후 자주 일어나며 완전 회복 가능
2) 영구 손상
   : 두부손상, 일산화탄소 중독, 뇌경색, 경막하 출혈, herpes simplex 뇌염

6. 치료

우선 선행질환의 원인 제거와 후유 증상의 진행을 방지, 재활치료

기타 기질성 정신장애

뇌진탕 후 증후군(postconcussional syndrome)

1) 두부외상(대개 의식소실이 있을 만큼 심한 경우) 후 다양한 별개의 증상으로 일어남
2) 증상
   : 두통, 어지럼증, 피로, 자극과민성, 집중곤란, 정신적 업무 수행 곤란, 기억장애, 불면증, 스트레스, 감정적 흥분, 알코올을 견디는 능력 감소 등

3) 진단기준

뇌진탕 후 증후군(postconcussional syndrome)
1) 진단기준 A. 의미 있는 뇌진탕을 일으킬 두부외상 B. 주의력 장애, 기억력 장애에 대한 신경심리학적 검사 또는 정량적 인지기능 평가에 의한 장애에 대한 증거 C. 다음 중 3개 이상의 항목이 적어도 3개월 이내에 있어야 한다. ① 피로감 ② 수면장애 ③ 두통 ④ 현훈 또는 어지럼증 ⑤ 이자극성 혹은 약간의 자극에도 공격성을 보임 ⑥ 불안, 우울 또는 정서 불안감 ⑦ 인격변화 ⑧ 무반응 또는 자발성 결여
2) 특징 • 자존심의 저하와 영구적인 뇌손상이 오지 않을까 하는 공포감에서 오는 우울감이나 불안을 동반한다. 이러한 감정은 본래의 증상들을 강화하며 악순환의 결과를 낳는다. • 뇌파검사, 뇌간 유발전위, 뇌 영상, 안구진전도 등을 이용한 주의 깊은 평가로 증상의 성립에 대한 객관적 증거를 얻을 수 있으나 이러한 검사들은 음성인 경우가 많다. • 증상의 호소는 꼭 보상동기와 관련될 필요는 없다. • 이 증상은 신체적 손상정도와 관계없다.

4) 특징

① 뇌파검사, 뇌간 유발전위, 뇌 영상, 안구진전도 등을 이용한 주의 깊은 평가로 증상의 성립에 대한 객관적 증거를 얻을 수 있으나 이러한 검사들은 음성인 경우가 많다.

② 증상의 호소는 꼭 보상동기와 관련될 필요는 없다.

③ 이 증상은 신체적 손상 정도와 관계없다.

기질성 기분장애(organic mood disorder)

: 기왕력이 없는 사람이 확인된 기질적인 뇌손상후 또는 신체질환으로 인해 우울증이나 조증의 증상이 발생한 경우

1) 신체장애가 있는 환자에서 우울증이나 조증의 증상이 있을 때

2) 원인: 내분비질환, 특히 쿠싱증후군과 뇌종양, 뇌막염, 간질 등의 신경질환을 포함하여 여러 가지 신체질환

3) 증상: 우울증이나 조증 상태에서 보이는 유사한 기분장애

4) 진단: 기분장애 증상의 발현에 선행하는 일반적 의학적 상태를 발견한 뒤에 진단

5) 치료: 원인을 밝히고 원인적 질환을 치료

7 CHAPTER 조현병(정신분열병, schizophrenia)

1. 역학

1) 유병률

① 평생 유병률: 1%

② 지역, 인구 문화에 관계 없이 유병률은 동일

2) 위험요인

① 연령, 성별, 결혼 유무

㉠ 성별에 따른 발병연령 및 특징

- 남(15~25세, 평균 21세): 좀 더 일찍 발병하고, 예후 안 좋음
- 여(25~35세, 평균 27세): 좀 더 늦고, 정동 증상 많고, 약물 치료 반응 및 예후 좋음

㉡ 남녀간 발병률의 차이는 없음

㉢ 10세 미만, 60세 이후로 새로 발병: 드묾 (45세 이후 발병: late onset schizophrenia)

㉣ 결혼 결손이 조현병의 위험요인: 원인적 요인보다는 결과일 가능성

② 사회문화적 특성, 스트레스

㉠ 하위계층에서 발병률이 높다.

㉡ 갑작스런 문화적인 변화의 스트레스(예: 이민)

㉢ 조현병이 저개발국에서 더 benign course

③ 계절: 북반구에서는 1~4월, 남반구에서는 6~9월. 원인으로 바이러스 감염설이 주목받고 있음

④ 출산 합병증: 비특이적 요소, 조현병에 걸릴 취약성을 더욱 증가시키는 역할

⑤ 성격 특성: 불분명하고 특이적이라고 할 수 없다.

3) 사망률과 범죄율

① 자살

㉠ 조현병 환자의 50%가 일생 동안 적어도 한 번은 자살 시도

㉡ 20년 추적 기간 중 10~15%가 자살로 사망(남녀 비율은 동등)

㉢ 자살 성공률은 발병 초기, 퇴원 초기에 높으며 만성화될수록 위험성은 줄어듦

㉣ 자살의 위험요인

- 남자
- 독신
- 만성적, 재발 경과
- 물질남용 병력
- 높은 질병 인식도
- 병원에 의존
- 질병 경과의 변화
- 높은 교육 정도
- 30세 이하
- 실직, 무직
- 우울증 병력
- 최근 퇴원
- 회복기
- 이전의 자살 시도 병력
- 망상형

② 범죄: 일반 인구와 차이가 없음

2. 원인

1) 유전: 유전자가 질병의 발생에 많은 영향을 주지만 환경적 요인도 관여

① 가족력과 가계 연구: 조현병에 걸릴 기대율

㉠ 일반 인구: 1%

㉡ 환자의 부모: 5~10%, 환자의 자녀: 15~20%

㉢ 환자의 친형제: 10~15%, 이란성 쌍생아 15%

㉣ 부모 모두 조현병일 때 자식: ~40%

㉤ 일란성 쌍생아의 경우 47%에서만 발병

② 쌍생아 연구: 일치율(concordance rate)

㉠ 일란성 쌍생아(53%) 〉 이란성 쌍생아(15%) → 환경적 요인도 조현병 발현에 중요한 역할

㉡ 입양 연구: 입양 후 조현병이 발병한 양자의 친족 중 21%가 조현병 > 대조군(11%)

㉢ 정상 부모에서 태어나 조현병 부모에게 양육되었다 하여도 조현병이 될 위험도가 증가되지 않는다는 것이 발견

㉣ 유전 양식: 단일유전자설, 다유전자설

2) 신경해부학적 요인

① 측뇌실의 측두극(temporal pole)의 확장, 변연계 구조물과 측두엽, 특히 상측두엽(superior temporal gyrus)의 용적 감소 등이 비교적 일관된 보고

② 측뇌실과 제3뇌실의 확장, 대뇌피질의 위축, 대뇌 반구 비대칭성의 이상, 소뇌의 위축, 측두엽 용적 감소 등이 보고

3) 신경생리학적 요인

① 안구운동 이상: 눈동자를 부드럽게 움직이지 못하고 갑작스런 움직임이 잦아짐

② 사건 관련 전위(ERP): P300 감소 및 지연(주의력 결핍과 연관, 측두엽 위축) 및 P50의 이상 등

4) 생화학적 요인: 신경전달물질의 변화

① 도파민 불균형★

㉠ 중뇌피질 경로(mesocortical pathway): 도파민 활성 저하 → 음성 증상 연관

㉡ 중뇌변연계 경로(mesolimbic pathway): 도파민 활성 과잉 → 양성 증상 연관

② serotonin↓ 또는 ↑ 가설

㉠ LSD는 serotonin과 구조적으로 유사하며 세로토닌 수용체에 길항제로 작용하여 증상 유발(환시), 비정상적 세로토닌계 활성은 2차적으로 도파민 분비체계의 혼란을 일으킴

㉡ 세로토닌 대사 감소: 음성 조현병, 자살행위

③ NE↑ 가설

㉠ NE 활동과다

㉡ 항정신병약물이 locus ceruleus의 NE 활동을 감소시킴

㉢ dopamine과 NE의 상호작용, 특히 질병 재발과 관련

④ GABA↓ 가설 : 해마에서 GABA 기능의 감퇴가 dopamine 기능 증가의 한 원인

⑤ 글루타민산염(glutamate)

㉠ 조현병과 관련된 전전두엽(prefrontal cortex), 해마(hippocampus), 시상(thalamus) 부위와 관련된 신경전달물질

㉡ 글루타민산염 수용체의 기능 저하와 조현병과 연관: phencyclidine (PCP) 복용 시 조현병 증상(망상, 환청, 인지저하, prepulse inhibition↓)

5) 계절성과 바이러스 감염: 겨울 및 이른 봄 날씨에 태어나는 경우가 많음

6) 환경적 요인: 도시에서 생활하는 사람, 이민자, 물질 남용 등

7) 심리사회적 요인

: 직접적인 원인이라고 생각하지는 않지만 경과와 예후에 영향을 주므로 심리사회적 요인을 이해하는 것이 환자 치료에 필수적

① 정신분석학적 접근

㉠ Sigmund Freud: 정신 발달 단계상 제1단계인 영아기, 구순기에 인격 수준이 고착되어 있고

자아의 심한 결함 때문에 생긴 정신 내적인 갈등이 조현병 유발

㉡ Harry Stack Sullivan: 초기의 대인관계 특히 모자 관계의 이상 때문

㉢ Margaret Mahler: 분리 개별화 이론

㉣ Paul Federn: 인생 초기의 자기와 대상 사이에 분화가 안 됨

② Schizophrenogenic Mother

: 공격적이며 거절적, 지배적이며 security feeling 결여, 법석, 과잉보호, symbiotic feeling 영속, 순교자적 역할로 자유 구속, 그의 증오감 표현을 막음

③ 가족 관계에 대한 접근

㉠ <u>이중구속(double bind)</u>: 아동이 부모로부터 부모 자신들의 행동이나 태도, 감정에 대해 상호 모순적인 메시지를 받는 의사소통 형태, 정신분열증은 환자가 해결할 수 없는 이중구속의 갈등으로부터 도피하기 위해 정신병적 상태로 감

㉡ 결혼 편중(marital skew)와 결혼 분파(marital schism)

- 편중: 가족의 감정생활이 한 쪽 배우자에 의해서 지배되는 경우
  예) 지배적이고 증오에 찬 부인과 순종적이고 의존적 남편
- 분파: 두 배우자가 모두 실망하여 서로 고립된 생활을 하며 감정적 보상을 자식에게 구하려 해 자식은 두 배우자 사이에서 혼란

㉢ 위협력(pseudomutual)과 위적대(pseudohostile) 가계

: 거짓 표현이 습관화되어 진정한 감정의 표현이 억눌러지는 현상. 이러한 의사소통의 형태는 가족 내에서만 이해되기 때문에 사회로 나아갈 때 문제가 됨

㉣ <u>감정 표출(expressed emotion)</u>: 환자의 가족이 환자에 대하여 지나친 비난, 공격성, 과잉 간섭 등 감정 표현이 높은 경우, 재발률이 높음

3. 임상양상

1) 사고장애

① 사고 흐름의 장애: 탈선, 융합, 혼합, 작화증, 우원증, 보속증, 사고 이탈, 사고 두절(특징적)

② 사고 형태의 장애: 비논리적이고 지리멸렬하여 연상의 이완을 볼 수 있음

③ 사고 통제의 장애: Schneider의 1급 증상 → 사고박탈, 사고전파, 사고 주입

④ 사고 내용의 장애: 망상(m/c)

2) 감정의 장애

① 기분의 일반적 이상 - 우울(관해기에 많음), 불안

② 정서 표현의 장애 - 감정둔마, 정서의 부적절성, 정서의 완고함, 무감동

3) 지각장애

① 착각(illusion)

② 환각(hallucination, 환청이 m/c): 조현병의 가장 특징적인 증상 중 하나

4) 운동 및 행동상의 장애

① 수동성 주관적 체험 - 신체피동성을 경험

② 흥분과 혼수, 긴장이상, 무언증, 자폐

5) 의식장애, 기억장애, 지적능력 장애(-)

: 지남력은 대개 잘 유지, 기억력 장애는 드묾

6) 양성 증상과 음성 증상

	양성 증상	음성 증상
개념	정신기능의 왜곡이나 과도	정상적 정신기능의 소실, 결핍
내용	망상, 환각 와해된 언어, 기이한 행동 상동증 정동 불일치	무쾌감증, 무어증 자폐, 감정의 둔마 무의욕증, 운동지체 사고차단, 주의력 손상
특징	항정신병약물에 잘 반응 좋은 예후	약물에 잘 반응하지 않음 나쁜 예후: 구조적 이상과 관련, 인지장애, 만성화
신경생화학	D2, GABA	D1, serotonin
	측두엽	전두엽

7) 기타 증상

: 병식 결여, 연성 신경학적 증후, 자살(조현병 환자에서 반드시 염두)

4. 진단

A. 특징적 증상: 다음 증상들 중 2개 이상이 있어야 하고, 그 각각이 1개월의 기간(성공적으로 치료되었을 경우는 그 이하) 중에 의미있는 기간 동안 존재한다. 최소한 이들 증상 중 하나는 1, 2, 또는 3이어야 한다.

① 망상

② 환각

③ 와해된 언어(예: 빈번한 일탈이나 지리멸렬)

④ 전반적으로 혼란스러운 혹은 긴장성 행동

⑤ 음성 증상(예: 감정적 둔마, 무언증 혹은 무의욕증)

DSM-5: 특징적 증상들이 다소 광범위하고 포괄적인 편. 긴장형을 제외하고 아형분류 폐기됨

ICD-10: 1개월 이상의 증상 기간이 필요하고, 사회적/직업적 기능장애를 요구하지 않고, Schneider의 1급 증상을 중심으로 뚜렷한 정신병적 증상을 강조함

B. 사회적/직업적 기능장애: 장애가 발생한 이후로 상당 기간 동안 일, 대인관계, 자기 돌봄 등과 같은 영역 가운데 한 가지 이상에서 기능수준이 발병 이전과 비교하여 현저히 떨어져 있다(아동기나 청소년기에 발병한 경우에는 대인관계, 학업, 직업에서 기대되는 성취에 실패한다.)

C. 기간: 질병의 계속적인 징후가 최소 6개월 이상이다.

D. 분열정동장애, 정신병적 양상을 가진 기분장애, 양극성장애가 배제되어야 한다.

E. 이 장애가 물질(예: 약물남용, 투약)이나 다른 의학적 상태의 생리적 효과로 인한 것이 아니다.

F. 만일 소아기 발병의 자폐스펙트럼장애나 의사소통장애의 병력이 있으면, 현저한 망상이나 환각이 1개월 이상(성공적 치료 시 그 이하) 존재할 경우에만 조현병의 추가진단이 가능하다.

기간 1일~1개월: 단기 정신병적 장애(brief psychotic disorder)

기간 1~6개월: 조현성 장애(schizophreniform disorder)

5. 5가지 아형

DSM-5에서는 긴장형을 제외하고 이 아형분류를 폐기하였지만 ICD-10에서는 아직 유지하고 있다.

1) 편집형 = 망상형(paranoid)

① 1개 이상의 망상과 잦은 환청(반드시 피해망상일 필요는 없음)

② 다른 아형이 아닐 때 진단

③ 비교적 좋은 예후

2) 혼란형 = 파과형(hebephrenic), 붕괴형, 와해형(disorganized)

① 사고의 장애가 특징

② 망상, 환청은 체계화되어 있지 않음

③ 낮은 병전 기능

④ 서서히 발생

⑤ 지속적인 경과

⑥ 나쁜 예후

3) 긴장형(catatonic)

5가지 특징적 증상 중 2가지 이상 해당: 부동성(immobility), 과도한 비목적성의 운동 활동(excessive purposeless motor activity), 이상운동(peculiar movements), 거부증(negativism), 반향어(echolalia), 반향행동(echopraxia)

	편집형 = 망상형(paranoid) (m/c)	혼란형 = 파과형(hebephrenic) = 붕괴형(disorganized) = 와해형	긴장형(catatonic)
임상양상	망상 또는 환청에 집착 붕괴형/긴장형 증상(-)	와해된 언어 와해된 행동 둔마/부적절 정동	강경증/부동증(혼미) 과잉활동↑↑ 극단적 거부증 괴상자세 · 상동증 반향언어/동작모방
역학 및 임상특징	30대 전후 교육받은 계층 직업, 결혼 확률↑ 증가하는 추세	25세 이전 특히 사춘기	15~25세 정신적 외상 후 급성 발병. 비율은 감소 추세
예후	예후 좋음 만성적 경과 인격파괴가 적다. ECT 효과 있음	예후 나쁨 정신병리 가족력↑↑ 병전 적응↓ 말기에 비위생, 심한 퇴행	예후 좋음 ECT 효과 있음

4) 미분화형 = 미분류형(undifferentiated)

다른 아형에 해당되지 않는 경우

5) 잔류형(residual)

① 음성 증상
② 잔류 증상만 존재

6) 단순형(simple)
음성 및 결손 증상만으로 진단

조현병의 치료 및 경과

1. 치료원칙

1) 치료목표: 정신 증상을 조절하고 재발을 방지하며 사회 및 직업 기능을 유지, 급성기(active phase 삽화)의 빈도와 심한 정도 감소, 심리 사회적 기능을 최대한 향상
2) 치료계획 수립 시 고려사항
① 현재의 임상상태
② 과거 삽화의 빈도, 심각도, 치료 결과
③ 환경적, 심리사회적 요인도 발병에 기여하기 때문에 약물치료 외에 비약물적 접근도 필요(일반적으로 약물치료 단독보다는 심리사회적 치료를 병행하는 것이 더 효과적)
3) 조기 중재: 발병 후 첫 5년 이내 조현병의 경과와 예후가 결정되는 중요한 시기
4) 치료의 목표 파악
5) 이전 치료에서 효과 있었던 약물 고려
6) 4~6주간 적정 용량 투여 후 효과 없으면 변경
7) 다약제 동시 투여는 피함
8) 증상이 회복된 뒤에도 재발 방지를 위해 유지요법

2. 입원치료가 필요한 경우

1) 자신이나 타인을 해칠 우려가 있을 때
2) 증상이 심해 자신을 잘 돌보지 못해 신체적 건강이 위협을 받을 때
3) 생활환경이 질병의 경과에 나쁜 영향을 주기 때문에 격리시킬 필요가 있을 때
4) 정확한 진단을 위해 지속적인 관찰이나 특수한 검사가 필요한 경우
5) 전기경련요법, 환경치료와 같은 특수한 치료가 필요한 경우: 환경치료(milieu therapy) - 병원이나 병동을 하나의 사회로 보고 정신과 의사뿐만 아니라 모든 직원, 다른 환자, 시설, 규칙, 기구 등 각 구성요소들을 치료적으로 이용함으로써 환자들이 보다 건설적인 생활을 영위하고 대인관계를 개선하도록 도와주는 역할

3. 약물치료

1) 일반적 치료원칙

① 치료의 목표 증상을 설정

② 과거에 효과가 있던 약물을 다시 사용. 이에 대한 정보가 없으면 부작용 등을 고려하여 약물 선택

③ 약물의 치료 효과는 약물 복용 후 3~10일 지나면 나타나지만 최소 4~6주 이상 복용해야 효과 유무를 판단할 수 있다.

④ 가급적 1가지 항정신병약물을 이용한다.

⑤ 증상이 호전되어도 재발 예방을 위해 유지치료를 한다.

2) 약물치료 단계

① 급성기(4~8주): 정신병적 증상 완화

② 안정기(급성기 후 6개월까지): 급성 증상 조절 후 안정화 단계. 치료 중단 혹은 급성 스트레스로 증상 악화 가능성이 있는 단계 - 급성기에 사용한 약물 용량 유지

③ 유지기: 재발 방지를 위한 치료 시기. 기능 호전을 위한 유지단계 - 증상 변화를 주의 깊게 관찰하면서 용량 감량

3) 적절한 약물 선택

① 약물의 효과, 작용시간, 여러 부작용, 약물 순응도

② 치료 저항성 조현병: clozapine이 더 유용

4) 항정신병약물(antipsychotics) = 주요 신경안정제(major tranquilizer) = 신경이완제(neuroleptics)

① 1세대 항정신병약물(haloperidol, chlorpromazine, bromperidol, perphenazine): 약 50%는 증상 회복이 충분하지 않음

② 2세대 항정신병약물(risperidone, olanzapine, clozapine, quetiapine, ziprasidone, aripiprazole, paliperidone): 비정형 항정신병약물. 추체외로 부작용이 적어 환자 순응도가 높음. 음성 증상, 인지 증상에 효과가 조금 더 있다는 보고가 있음. 정동 증상에 효과가 있음

	1세대 항정신병약물	2세대 항정신병약물
기전	도파민 수용체 억제제	세로토닌-도파민 억제제
증상 호전	양성 증상	양성 증상 + 음성 증상 + 인지
항콜린성 부작용	+++	+
추체외로 증상	+++	+
식욕증가, 당뇨병	-	+
피곤, 졸음	+++	+
성기능장애	+	+
불규칙한 생리	++	+

4. 전기경련요법(ECT)

: 항정신병약물에 충분히 반응하지 않거나, 여러 이유로 약물 효과가 발현될 때까지 기다릴 수 없는 경우 - 긴장형 환자나 정동 증상이 심한 경우 효과적

5. 급성기 후 만성 조현병의 치료

1) 목적: 가능한 최상의 수준으로 환자가 기능을 할 수 있도록 재활, 급성기로의 재발 방지(약물치료와 개인 정신치료를 포함하는 심리사회적 치료의 병용)
2) 항정신병약물치료를 지속하면서 사회직업훈련을 병행
3) 항정신병약물이 장기치료에 있어서 가장 중요
4) 급성기 이후에는 항정신병약물의 유지요법이 필요(투여 용량은 50~90%로 감량)
   ① 감량은 정신병적 삽화 후 안정화 되고 3~6개월 지나서 시행
   ② 이후 매 6개월마다 20% 정도 감량하면서 효과적인 최소 용량 찾기
   ③ 유지 기간
      • 첫 정신병적 삽화: 1~2년 동안 처방 유지
      • 재발 1회: 5년
      • 재발 2회: 효과적인 최소 용량을 찾아서 평생 유지토록 함
5) 만성적인 환자가 될수록 양성 증상의 빈도나 강도가 줄어들고 음성 증상이 늘어남
6) 치료 후반에는 약물 순응도를 위하여 취침 전 한 번 복용으로 조정
7) 장기간 입원치료는 바람직하지 않음
8) 급성기로 재발 방지
   ① 약물치료
   ② 행동치료: 토큰 경제 훈련, 사회 기술 훈련
   ③ 심리사회적 치료: 회복 앞당기고 재발 방지
   ④ 집단치료: 통찰적이기 보다는 지지적
   ⑤ 정신치료: 현실적이고 실용적인 지지적 정신치료 선호

6. 심리사회적 치료(psychosocial treatment)

1) 행동치료: 토큰 경제와 사회 기술 훈련 사용
2) 가족치료: 재발 방지에 효과
3) 집단치료: 통찰적이기보다 지지적으로 하라.
4) 정신치료: 약물치료에 부가적인 효과가 있다.
   ① 치료자와의 신뢰성 형성이 가장 중요
   ② 잘못된 해석은 절대 금물

③ 치료자와 환자가 치료적 동맹을 맺을 수 있느냐가 치료 결과에 예측인자
④ 직업적인 관계를 유지하면서 융통성을 가지면서 환자와 동맹을 가지는 것이 중요
⑤ 지나친 따뜻함이나 직업적인 자세는 불필요
⑥ 가장 중요한 목표는 치료자가 환자가 어떤 태도를 취하던 환자를 이해하기를 원하고, 인간으로서 가능성을 인정해 주고, 신뢰성을 갖고 있다는 생각을 환자에게 전달되게 하는 것

7. 예후

1) 예후가 좋지 않은 경우★
① 병전 기능이 좋지 않은 경우
② 미혼, 이혼 / 사회적지지 체계의 불량
③ 조현병의 가족력
④ 신경학적인 증상이 있거나 뇌의 구조적 이상이 관찰
⑤ 이른 나이에 발생
⑥ 점진적인 발병, 전구 증상 기간이 길수록
⑦ 특정한 유발인자가 없음
⑧ 음성 증상이 두드러짐
⑨ 증상 발생 이후 치료받지 않을 때까지 기간이 길수록
⑩ 신경 인지 기능의 저하
⑪ 불량한 약물 순응도
⑫ 치료 중에도 잦은 재발, 잔류 정신 증상

8. 경과

1) 40~50%: 증상이 회복되어 좋은 경과 유지
2) 30~40%: 증상이 충분히 개선되지 못하거나 지속되는 경과
3) 20~30%: 사회적 기능까지 회복하여 직업 유지

8
CHAPTER

기타 정신병적 장애

망상장애(Delusional disorders)

1. 개요

1) 각종 망상을 특징으로 하는 정신병적 장애
2) **망상은 정교/조직적/체계화되어 있고,** 그 내용에 적절한 정동을 보임.
3) 인격이 비교적 잘 유지되어 있으며, 기억력이나 지남력의 장애는 (-)
4) 여 > 남(질투형은 남자에서 빈발), 유병률은 0.025~0.03%(rare), 30세 이전 발병 시 예후가 좋음
5) **방어기제 : 반동형성(reaction formation), 투사(projection), 부정(denial)**

2. 원인

1) 생물학적 원인
  ① 가족력이 많이 발견
    : 유전적 소인이 있는 듯함(조현병이나 기분장애의 가족력과는 무관)
  ② 신경학적 장애: 변연계와 기저신경절(대뇌피질은 형성된 망상을 지능화하는데 기여)
2) 심리학적 원인
  ① 정신분석적 견해
    • 억압된 무의식적인 동성애적 경향 → 반동형성, 투사, 부정 → 편집상태
    • 방어기제★: 반동형성(reaction formation), 투사(projection), 부정(denial)
  ② 정신역동적 견해
    • 초자아투사
    • 자기애의 손상

③ 발달적 요인: 부모와의 관계에서 기본적인 신뢰감을 형성, 발전시키지 못함

3. 진단

A. 망상(예: 실제생활에서 일어나는 상황, 즉 추적, 독극물중독, 감염, 타인으로부터의 사랑, 배우자나 애인의 속임, 병에 걸림)들이 최소한 1개월간 있어야 함
DSM-5: '기괴하지 않은 망상'이라는 진단기준 삭제됨
B. 조현병의 진단기준의 A에 맞지 않아야 함
C. 망상이나 그에 따른 영향으로 인한 것 말고는 전반적인 기능이 현저하게 저하되지 않고 행동이 뚜렷하게 이상하거나 괴이하지 않음
D. 만일 기분의 삽화가 망상과 함께 존재한다면 그 기분장애의 총 기간은 망상장애의 기간에 비해 짧아야 함
E. 이 장애가 물질(예: 남용약물, 투약)이나 일반적 의학적 상태의 직접적인 생리적 영향에 의한 것이 아니어야 함
특정형 (주된 망상 주제에 따라): 색정형, 과대형, 질투형, 피해형, 신체형, 혼합형, 비특정형
특정형 (내용에 따라) (DSM-5 변경사항): 괴이한(bizarre), 괴이하지 않은(non-bizarre)

4. 임상유형 ★ 각 특징 알아두기

1) 다소 우울하며, 대개 환각이나 착각 등은 없다.
2) 다른 사고장애는 드물고, 기억과 지남력은 정상. 병식이 없다.
3) 피해형과 질투형이 가장 흔하다. (피해형 > 질투형)

A. 색정형(erotomanic type)
① 주된 망상은 자신이 누군가에 의해 사랑받고 있다는 것
② 이상적, 낭만적 내용, 영적 결합에 의한 것
③ 주로 여자에서 많다(하지만 법적인 문제는 남자가 많다). 스토커

B. 과대형(grandiose type)
① 자신이 위대한 통찰력이 있거나 중대한 발견을 해서 정부 요직에 앉았다는 망상
② 종교적 망상을 가질 수도 있어 종교집단의 지도자가 되기도 한다.
③ 어떤 중요한 사람과 특별한 관계가 있다는 망상

C. 질투형(jealous type)
① 두 번째로 흔함
② 의처증(남자), 의부증(여자)이라고도 한다. 의처증이 많다(즉 남자가 많다).
③ 정당한 이유 없이 배우자나 애인을 믿을 수 없다는 것
④ 배우자를 외출 못 하게 추적조사, 폭력 행사: 심하면 살해까지 가능

D. 피해형(persecutory type)

① 가장 흔한 형태
② 의도적으로 주위 사람이 자기에게 피해를 주거나 악의적으로 대한다는 것
③ 법정이나 다른 정부기관에 호소함으로써 만족 얻으려 시도하기도 함(고소광)

E. 신체형(somatic type)
① 몸의 일부에서 나쁜 냄새가 나거나 벌레가 기어다닌다는 망상
② 감별진단: 신체형장애는 장애가 존재하지 않을 가능성을 인정하는 반면 망상장애 환자는 그 가능성을 인정하지 않음(신체형장애 환자의 믿음은 망상적 수준이 아님).

F. 혼합형
① 뚜렷한 하나의 망상유형으로 분류할 수 없는 경우
② 망상의 특정형 중 하나 이상을 특징적으로 갖고 있으면서 어느 하나도 주가 되지 않음

5. 감별진단

: 망상장애에서는 환각, 지리멸렬, 연상의 해리가 없다.

1) 망상형 조현병
① 망상형 조현병에서는 망상이 괴이하고 단편적이며 체계화되어 있지 않으며, 환각이 그들의 망상과 관련하여 있을 수 있다.
② 망상장애에서는 Schneider 1급 증상을 볼 수 없다.

2) 기분장애
: 망상장애에서는 심한 우울 증상이나 조증상이 없고 있더라도 정신병적 증상이 발생한 후 나타남
① 색정형/과대형은 조증과 감별해야 한다.
조증의 분노는 곧잘 가라앉지만, 망상장애에서는 불평이 많고 증오적인 행동이 지속된다.
② 정신병적 우울증에서는 신체망상이 가장 흔하며 의욕상실, 불면증, 식욕감퇴, 체중감소, 기력상실 같은 우울증의 생물학적 징후가 나타난다.

3) 편집성 성격장애
: 편집성 성격장애는 의심이 많고 지나치게 경계하고 조심하는 양상이지만, 망상은 없다.

망상장애	paranoid type 조현병
피해망상이 주 - 구조가 잘 짜여진 망상 - 정신병의 일종 - 피해망상 등 사고 내용의 장애 외에 인격황폐화 드묾	피해망상이 주 - 기괴하고 지리멸렬 - 주요 정신병 - 전반적 인격의 황폐화
편집상태(paranoid state) : 망상은 계통화 되어 있음	치밀하게 계통적이지 않음

4) 기질성 망상증후군

① 기질성 망상증후군에서는 편집상태가 인지장애(건망증, 기억력/판단력/지남력 장애)와 동반

② 망상장애에서는 기억력이 정상이다.

6. 경과 및 예후

1) 전반적인 기능은 조현병이나 다른 정신병적 장애보다 낫고, 조현병으로 발전되는 경우는 드묾

2) 좋은 예후: 높은 직업적, 사회적, 기능적 적응의 수준, 여성, 30세 이전 발병(∵ 망상장애는 나이가 많을수록 생각이 바뀔 가능성이 적어지고, 망상이 고착화될 가능성이 높아짐), 급성적 발병, 짧은 이환기간, 유발요인 존재, 피해/신체/색정 망상

7. 치료

1) 정신치료

① 정신과적인 도움을 수용하도록 설득하고, 치료가능하다는 점을 인식시켜야 함

② 초기에는 망상에 대해서 동의해서도 도전해서도 안 됨.

③ 환자가 망상으로 괴로워하거나, 건설적인 생활을 못 하는 점을 통해 부드럽게 지적하고 포기시킴

2) 약물치료 및 입원치료

① 일차적으로 항정신병약물 사용

② 일반적으로 망상장애 환자는 외래에서 치료하며, 입원은 일차적으로 고려하지는 않음

단기 정신병적 장애

단기 정신병적 장애(brief psychotic disorder)

1. 개요

1) 스트레스가 있은 후(분명한 유발인자 선행) 나타나는 정신병적 장애로 기간이 1개월 이내일 때

2) 낮은 사회 계층의 환자에서 흔하며, 성격장애 환자에서 흔함

3) **증상은 1개월 이내 회복**, 이 기간 동안 이전 기능이 완전히 회복

4) 1개월 이상 지속 시 망상장애, 정신분열형장애, 정신분열증을 고려

5) 드물기는 하나 일부는 조현병이나 기분장애 같은 만성 정신병으로 발전

진단	brief psychotic disorder 단기 정신병적 장애	schizophreniform disorder 조현양상장애	schizophrenia 조현병
기간	1일~1개월	1~6개월	6개월 이상

2. 진단: 1개월 이상 지속 시 망상장애, 조현성 장애, 조현병을 고려

A. 다음의 증상 중 1가지 이상 있다.
 (1) 망상
 (2) 환각
 (3) 혼란된 언어(자주 벗어나거나 또는 지리멸렬)
 (4) 현저하게 혼란된 또는 긴장성 행동
  단, 문화적으로 인정된 반응일 때 포함되지 않는다.
B. 기간이 최소한 하루 이상, 1개월 이내여야 하며, 결국에는 이전 기능이 완전히 회복된다.★
C. 정신병 양상을 가진 기분장애, 분열정동장애, 조현병으로 더 잘 설명되지 않으며, 물질(예: 남용약물, 처방약물) 이나 일반적 의학적 상태로 인한 직접적인 생리적 영향에 의한 것이 아니어야 한다.

특정형
1. 현저한 스트레스 동반형(단기 반응성 정신병): 그 사람이 속한 비슷한 환경에서 어느 누구에게나 현저한 스트레스가 되는 단일한 또는 복합적 사건 직후나 그에 대한 반응으로 증상이 생기는 경우
2. 현저한 스트레스 비동반형: 그 사람이 속한 비슷한 환경에서 어느 누구에게나 현저한 스트레스가 되는 단일한 사건 직후나 그에 대한 반응으로 생기는 정신병 증상이 아닐 경우
3. 산후형: 임신 중이나 산후 4주 내에 시작할 경우
4. 긴장증(catatonia) 동반형

3. 경과 및 예후

1) DSM-5: 발병 1개월 내 완전히 회복해야 한다.
2) ICD-10 (급성 및 일과성 정신병적 장애): 1~3개월 이내 회복해야 한다.
3) 처음에 단기 정신병적 장애로 진단된 환자 중 드물기는 하나 일부는 조현병이나 기분장애 같은 만성 정신병으로 발전
4) 좋은 예후: 좋은 병전 적응, 적은 조현성, 적은 정서적 둔마, 짧은 정신병 기간, 조현병의 가족력이 없음, 발병과 심한 스트레스가 연관되어 있고, 갑작스런 발병, 정동 증상, 정신병 동안의 혼돈

4. 치료

: 정확한 평가와 보호를 위해 단기간의 입원이 도움이 될 수 있음
1) 약물치료(단기간 사용, 유지요법 필요 없다.): 항정신병약물(haloperidol 등)
2) 정신치료: 개인정신치료, 가족치료, 집단치료

5. 감별진단

1) 분열정동장애/조현정동장애(schizoaffective disorder)

① 조현병과 기분장애(조증, 우울증)의 증상들이 모두 나타나는데, 그 증상들이 동시에 또는 교대로 나타날 수 있다.

② 지속적인 장애로, 주요 기분삽화(주요우울장애 또는 조증)가 조현병 진단기준 A(망상, 환각, 와해된 언어, 긴장성 행동, 음성 증상 중 2개 이상, 1개월의 기간 중 의미있는 기간)와 동반하는 경우

㉠ 치료: 약물치료 – 항우울제, 항조증약물이 우선. 항정신병약물은 필요할 때만

㉡ 예후: 조현병보다 좋고 기분장애보다 나쁨

2) 조현형 장애(schizophreniform disorder)

: 조현병과 유사하나 6개월 내 증상이 소실(급성기 증상이 1~6개월 사이에 지속)

산후 정신병(postpartum psychosis)

1. 개요

1) 최근 출산 후 여자에서 발생하는 정신병적 장애

: 산모의 우울, 망상 및 자신의 아이 혹은 스스로를 해할지 모른다는 사고가 특징

2) 빈도는 1~2/1,000이며, 약 50%에서 초산부, 비정신과적 주산기 합병증, 혹은 기분장애의 가족력

2. 원인

1) 이미 있는 조현병, 기분장애: 가장 강력한 설(기분장애의 한 삽화)

2) 출산 시 감염, 약물, 임신중독, 출혈

3) 정신역동학적: 어머니와의 갈등이나 남편과의 갈등 → 초산모에서 많다.

3. 증상

1) 발병은 보통 출산 2주 이내이고, 거의 대부분 8주 이내에 발병

: 피로, 불면, 안절부절, 울음이 북받치는 등의 정서적 불안정으로 시작

2) 조현병 같은 증상 또는 조현성 정동장애의 조증 같은 증상

: 50% 망상(m/c, 아기가 죽었거나 장애아라는 생각 등), 25% 환각(아기를 죽이라는 환청 등)

4. 진단

1) 독자적인 질병의 진단기준은 없음

2) 출산 후 평균 2~3주 후 증상이 시작

① 초기 증상: 피로감, 불면, 안절부절못함, 정서적 불안정성

② 후기 증상: 의심, 혼동, 지리멸렬, 아기의 건강이나 안녕에 대한 강박적인 걱정, 망상, 환청

5. 감별진단

1) 정상적 산후 우울감(postpartum blues)
   → 분만 3~5일 후 기분변동, 슬픔 등이 수 일간 나타났다가 자연적으로 회복되며 치료 불필요

2) 산후 우울증(postpartum depression)
   ① 분만 후 12주 이내에 발병
   ② 우울감, 과도한 불안, 불면 및 체중변화 등이 특징적
   ③ 경과: 주요우울삽화의 위험성을 증가시킴

6. 치료: 정신과적 응급(즉시 입원)★

1) 아이와의 접촉을 감시(영아 살해, 자살 위험): 산모가 원하면 아이와 접촉
2) 약물치료: 항정신병약물, 리튬, 항우울제 병합 등

산후정신병(postpartum psychosis)	산후 우울증(postpartum blues)
초산부(50%). 평균 출산 2~3주 후 증상 발생 기분장애 병력 50%. 부모 · 남편과의 갈등 증상: 초조, 불안, 불면, 과민 등 + 대부분 육아, 가사, 아기, 죽음 관련 전형적 망상 동반★ 치료(정신과적 응급): 아이와의 접촉 감시 (살해, 자살 위험), 약물치료	50% 이상의 산모에서 발생 출산 후 3~5일(peak). 수일 내. 증상: 출산 직후 울음, 불안, 피로, 과민성 예후: 대부분 완전히 회복되나, 10~50%는 다음 임신 시 재발

기분장애(Mood disorder)

기분장애의 분류

〈우울장애 depressive disorder〉
주요우울장애(major depressive disorder, MDD)
지속적 우울장애(persistent depressive disorder)
파괴적 기분조절장애(disruptive mood dysregulation disorder)
월경전 불쾌장애(premenstrual dysphoric disorder, PMDD)

〈양극성장애 bipolar disorders〉
양극성장애 I형(bipolar I disorder)
양극성장애 II형(bipolar II disorder)
순환성장애(cyclothymic disorder)

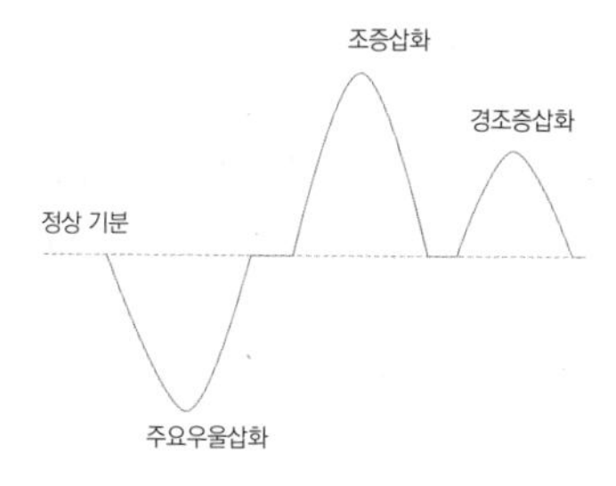

기분장애 분류

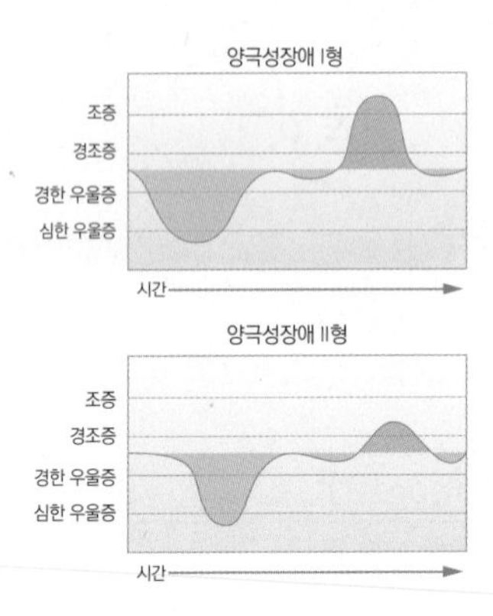

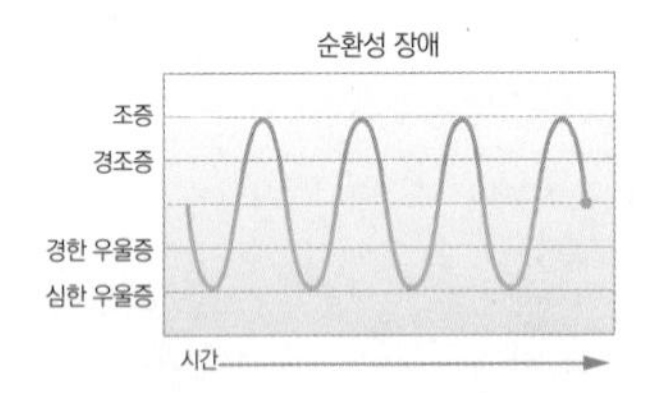

역학

1) 평생 유병률

① 주요우울장애: 5~10%(중증 3~5%)

② 양극성장애: 1%(남 = 여)

2) 발병 연령

① 주요우울장애: 평균 40세(20~50세)

② 양극성장애: 평균 30세 전후(소아~50세)

3) 유전적 경향: 양극성장애 I > 주요우울장애
   bipolar I의 genetic marker: 염색체 5, 11, X
   ※ 직계 가족에서 위험성 높은 순서: bipolar > 조현병 > bulimia nervosa > 공황장애
4) 인종에 따른 유병률의 차이는 없음.
5) 결혼상태에 따라
   ① 주요우울장애: 일반적으로 가까운 대인관계가 없거나 이혼 또는 별거 중인 사람에서 더 흔하다.
   ② 양극성장애 I: 역시 기혼보다는 독신이나 이혼한 사람에서 더 많으나 이 차이는 병의 조기 발병과 질병의 영향으로 인한 결혼 생활의 장애에 기인할 수도 있다.
6) 주요우울장애는 사회경제적 수준과 연관 없음

우울장애

정상적인 감정에서의 우울감과 우울장애의 차이

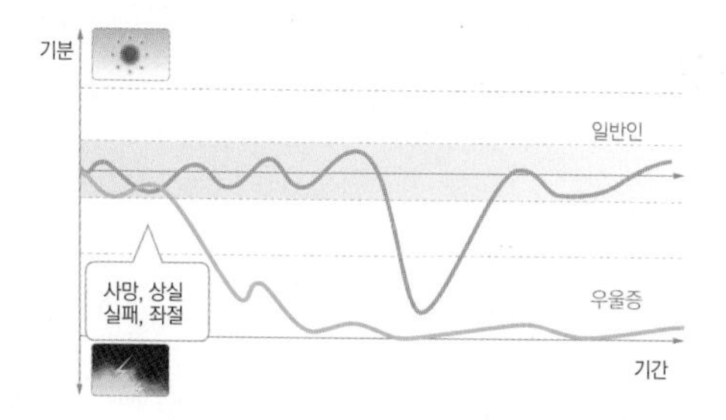

슬픈 일에 대해서 슬퍼하는 것은 자연스러운 반응이며, 짧은 순간의 일시적인 불행감은 정상적인 기분에서 나타날 수 있다. 하지만 이전에 비하여 혹은 사회적인 통념상 다른 사람들의 반응에 비해서 어떤 자극이 주어졌을 때 지나치게 우울하거나, 특별히 슬퍼할 만한 일이 없음에도 불구하고 자신의 생활에 지장을 줄 만큼 부적절하게 우울하다면 문제가 있다고 볼 수 있다. 단순한 기분의 변화를 넘어서서 신체적, 정신적, 행동적인 변화나 어려움이 더 지속적이고 심한 경우에는 우울장애를 시사한다고 볼 수 있다.

주요우울장애(major depressive disorder)

1. 생물학적 원인

1) 생체 아민: norepinephrine과 serotonin이 기분장애에 가장 중요
   ① NE (대사산물: 소변 MHPG), dopamine, serotonin: mania 시 ↑, depression 시 ↓
   ② MAO 활성: mania 시 ↓, depression 시 ↑
2) 소변 cyclic AMP: mania 시 ↑, depression 시 ↓
3) 내분비대사
   ① cortisol ↑: 우울증에서 hypothalamic-pituitary-adrenal axis 기능항진 덱사메타손 억제검사에서 양성 반응: 억제 안 됨
   ② 갑상선호르몬: 우울증에서 TRH 투여에 대한 TSH의 증가 반응 저하, 갑상선기능저하증
   ③ 성장호르몬: 우울증 환자에서 저혈당에 의한 성장호르몬 분비 ↓
   ④ melatonin: 우울증 환자에서 야간에 melatonin 농도 저하
   ⑤ 기타: 우울증 환자에서 FSH, LH ↓, testosterone ↓
4) 통증과 신경전달물질과 우울증
   ① 세로토닌과 노르에피네프린 분비 이상으로 우울증이 생긴다.
   ② 뇌척수에서 세로토닌과 노르에피네프린 균형이 깨지면 통증 역치가 낮아져서 통증을 잘 느낀다.
   ③ 우울증 환자들은 일반인보다 두통, 요통, 흉통 등 통증을 2배 이상 더 많이 경험한다.

2. 신경해부학적 이상

1) 변연계(emotion), 기저 신경절(운동), 시상하부(수면, 성욕, 식욕조절), 뇌하수체 등 병리와 관계
2) 뇌 영상학 소견
   ① prefrontal cortex와 hippocampus에서 회백질과 glial density 감소 → 허무감, 자책감, 죄책감 같은 인지적 측면과 관련됨
   ② amygdala와 subgenual cingulate cortex에서 활성 증가 → dysphoric mood and sadness
3) 유전 성향
   ① 일란성 쌍생아 일치율: 50%
   ② 이란성 쌍생아: 10~20%
4) 다양한 유전자 의심
   ① serotonin transporter
   ② BDNF 등
   ③ 다양한 유전자가 관여

3. 사회심리학적 요인

1) 정신역동적 가설
   ① 구강기 어머니와 문제
   ② 실제적 또는 상징적인 대상의 상실(object loss)
   ③ 고통을 방어하기 위해 함입(introjection)을 사용
   ④ 상실한 대상에 대한 분노나 공격성이 자신을 향할 때 발생
2) 자존심 상실: 그 대상의 기대를 충족시키지 못하거나 대상이 자기를 존중하지 않는 것을 느낄 때
3) 스트레스
   ① 스트레스와 생물학적 소인의 균형
   ② 첫 삽화 전에 과도한 스트레스 관련
   ③ 흔한 스트레스
      - 대인관계 불화: 배우자, 아이, 동료
      - 상실 및 애도: 사별
      - 역할 전환: 새로운 업무, 졸업, 경제적 변화
      - 대인관계 결핍: 외로움, 사회적 고립
4) 병전 성격: 강박적, 연극성, 경계성 성격에서 생길 위험이 더 높음
   ↔ 반사회적 또는 편집적 성격은 투사(projection)를 통해 문제를 바깥으로 내보내는데 비해 위의 성격들은 함입으로 자기 내에서 해결
5) 행동이론: 학습된 무력감 - 회피할 수 없는 혐오 자극을 가하면 벗어나려는 노력을 포기. 노력해도 안 된다.
6) 인지이론: 자신, 환경, 미래에 대해 부정적인 시각을 지닌다.
7) 위험요인
   ① 여성: 남성의 2배
   ② 연령층: 20대, 40대
   ③ 사회경제적 수준: 서민
   ④ 결혼상태: 이혼, 별거
   ⑤ 스트레스: 실직, 질병, 인간 관계
   ⑥ 어린 시절 충격: 학대, 부모 자식 관계

4. 임상양상

1) 기분 변화
   ① 슬픔, 저조함, 불쾌함, 우울감
   ② 일중 변화: 오전에 심하고 오후에 호전

2) 즐거움을 느끼는 능력 저하(무쾌감증, anhedonia)
   ① 재미, 흥미, 관심, 의욕, 동기 저하
   ② 즐거움과 슬픔을 모두 못 느끼기도
   ③ 흥미와 부담 정도에 따라 행동 결정
3) 수면
   ① 잠들기 힘들고, 자주 깨고, 새벽에 일찍 깸
   ② 새벽에 일찍 깸 → 초조 → 자살
   ③ 수면과다
4) 식욕
   ① 식욕저하 및 체중감소: 5% 이상 시 유의
   ② 식욕증가 및 체중증가: 폭식
5) 성욕
   ① 성적 욕구 저하, 성생활 기피
6) 부정적 생각
   ① 후회되거나 원망한 생각
   ② 미래에 비관적, 매사에 자신이 없고
   ③ 죄책감, 쓸모없는 인간
   ④ 피해망상, 빈곤망상, 허무망상
7) 집중력 저하, 판단력 저하
   ① 글을 읽어도 이해가 안 가고, 결정 내리기 힘겨움
8) 정신운동기능 변화
   ① 정신운동 지체
   ② 정신운동 초조

5. 진단기준

A. 진단을 내리기 위해서는 우울감 또는 무감동 증상과 함께 다음 9가지 증상 중 5가지 이상 있어야 함. 증상이 최소 2주 이상 대부분 시간
주요우울삽화의 4가지 주요한 증상군, 총 9가지 증상
이전에 비해 변화가 있다면 이 중 최소한 ①우울감 또는 ② 흥미/즐거움 상실 중에 하나는 나타나야 함.
① 우울감
② 흥미나 즐거움 상실(쾌감 상실)
③ 4가지 신체증상(수면, 식욕, 피로감, 정신운동)
④ 3가지 심리증상(죄책감, 집중력저하, 자살생각)
B. 증상이 사회적, 직업적 또는 다른 중요한 기능 영역에서 임상적으로 심각한 고통이나 손상을 일으킨다.
C. 증상이 물질(예: 약물남용, 투약)이나 다른 의학적 상태(예: 갑상선기능저하증)에 따른 것이 아니어야 한다.
D. 주요우울삽화의 발생이 분열정동장애, 조현병, 조현형 장애, 망상장애나 다른 정신병적 장애로 더 잘 설명되지 않는다.
E. 조증이나 경조증 삽화가 없어야 한다.

특정형: 불안증 동반, 혼재성 양상 동반, 멜랑콜리아 양상 동반, 비전형적 양상 동반, 정신병적 양상 동반(기분-일치성/기분-불일치성), 긴장증 동반, 주산기 발병 동반, 계절성 양상 동반

+ 애도반응
Bereavement exclusion에 대한 기준이 DSM-5에서부터 삭제되어, 애도반응이 2개월 이내에 나타나더라도 주요우울삽화로 평가할 수 있다면 주요우울장애로 진단할 수도 있게 되었다.

6. 주요우울장애의 동반 양상들

1) 불안증: 신경이 날카롭고 긴장되며, 안절부절 못하고, 걱정이 많아 집중이 어렵고, 끔찍한 일이 벌어질 것에 대한 두려움, 자신에 대한 통제력을 잃을 것 같은 느낌
2) 멜랑콜리아: 전형적. 무쾌감증이 심하고 새벽에 일찍 깨고 식욕저하와 체중감소, 초조가 심하고 죄책감이 심한 양상
3) 비전형: 기분반응성이 있고 식욕과 수면욕 증가, 팔다리가 무거워 움직이기 활동 힘들고, 인간관계에서 오랜기간 지속되는 거절에 대한 민감성
4) 계절성 우울증: 주로 가을, 겨울에 악화. 겨울에 수면 과다와 우울 증상. phase delay
5) 주산기 발병: 임신 기간 중 또는 출산 4주 이내
6) 주요우울장애에서 가장 흔히 동반되는 증상 중 하나 - 수면장애
   ① 불면증 또는 과다수면
   ② 수면다원검사★: 수면시간 감소, 잦은 각성, 서파수면 감소, REM 수면 증가, REM latency 감소

7. 경과

1) 10~20%는 한번 삽화, 평균 5~6회
2) 치료 않는 경우 6~12개월의 지속기간

3) 재발 성향: 첫 삽화 50%, 두 번째 70%, 세 번째 90%

4) 5~10%는 조증이나 경조증으로: 양극성장애 진단

8. 예후

1) 좋은 예후 인자

① 경한 삽화
② 정신과적 증상이 없을 때
③ 입원기간이 짧을 때
④ 청소년기 친구 관계가 좋았을 때
⑤ 가족 지지가 있을 때
⑥ 공존하는 다른 정신질환이 없을 때
⑦ 성격장애가 없을 때
⑧ 입원이 한 번, 두 번 이상 아닐 때(입원 기간이 짧을 때)
⑨ 발병이 늦을 때

2) 나쁜 예후

① 빠른 초발연령
② double depression(기분부전장애와 공존)
③ 다른 정신장애 공존
④ 재발이 많은 경우

3) 일반적 양상

① 양극성장애에 비해 우울장애가 예후가 좋다.
② 여자가 예후가 좋다.
③ 나이가 많으면 재발률이 증가한다.
④ 재발 빈도는 20년에 5~6회 → 나이가 들수록 우울증 지속기간이 길어진다.
⑤ 유발인자가 있을 때 예후가 더 나쁘다: 조현병과 다름

9. 치료

: 개인에 대한 약물치료, 정신치료뿐만 아니라 주변의 stressful life event를 고려

1) 입원

① 가장 먼저 결정해야 할 문제
② 적응증

㉠ 자살이나 타살의 위험도↑
㉡ 음식이나 자신을 돌볼 수 있는 능력↓
㉢ 증상이 아주 빠르게 진행 중일 때
㉣ 환자의 지지 체계가 깨졌을 때(우울증 환자는 자신에 대한 절망감, 생각이 느리고, 부정적 세계관 등으로 인해 입원 결정을 못 내리고, 중증 환자는 병식이 없어서 입원 거부)
㉤ 내과적 동반질환이 있을 때
㉥ 우울증으로 인한 생명에 위협을 주는 급성 내과적 상태(식욕부진증, 탈수증)

2) 심리사회치료

① 인지치료: 인지적 왜곡을 긍정적인 인지체계로 변경하고 연습을 통하여 스스로 교정
② 대인관계 치료: 대인관계의 어려움에 대하여 이해하고 해소하기, 의사소통기술과 사회성 기술 습득
③ 문제해결 치료: 현재 삶의 어려운 문제를 상의하여 큰 문제를 잘게 쪼개서 변화를 이루기 위해 구체적인 계획을 수립하도록 하는 것
④ 행동치료: 비적응 행동을 다룸, 양성 혹은 음성 강화를 이용
⑤ 정신분석적 치료: 환자의 인격 구조나 특징을 변화시킴
⑥ 가족치료

3) 약물치료

① 단독사용 혹은 정신치료와 겸비
→ 기존의 항우울제는 치료 효과가 나타나는데 3~4주 걸리고 과량 투여 시 중독이 문제가 있음. 최근 새로 나온 bupropion이나 SSRI가 이러한 기존 항우울제의 약점을 보완

② 항우울제의 선택
㉠ SSRI (fluoxetine, fluvoxamine, paroxetine, sertraline): 1차 치료약물
㉡ bupropion, buspirone: 성기능장애 시 추가 사용. 오히려 성기능장애를 완화시키는 효과
㉢ TCA 또는 tetracyclics, MAO 억제제: 2, 3차 선택약물
㉣ 기타: alprazolam, trazodone, sympathomimetics

③ 부작용★
㉠ 과량 투여 시 위험: 특히 TCA와 tetracyclics → SSRI, bupropion, MAO 억제제, trazodone이 보다 안전
㉡ 저혈압: 특히 노인에게 위험
㉢ 성기능 부작용: 성욕↓, 발기↓, anorgasmia → 특히 세로토닌계 약물이 심하다.
㉣ 심독성: 특히 TCA
㉤ 항콜린효과: 구갈, 변비, 배뇨곤란, 시력장애

④ 기간, 예방
㉠ 최대 용량으로 최소한 4주 사용, 항우울제는 최소 5개월 이상 유지(재발 예방)
㉡ 항우울제의 prophylaxis: 재발을 줄임
㉢ 항우울제 끊을 때는 2주간 서서히 감량 (반감기 고려)

⑤ 기존의 항우울제 치료로 더 이상 반응이 없을 때 첨가 혹은 병용하는 약물
㉠ 리튬: serotonergic neuronal mechanism ↑
㉡ 갑상선호르몬(T3, L-triiodothyronine): adrenergic 수용체와 갑상선 축 이상을 교정 가능
㉢ L-tryptophan: 항우울제 사용하는 주요우울장애이나 리튬 사용 중인 양극성장애 I
㉣ 항정신병약물: 망상이나 정신병적 상태 시

⑥ 환자 교육

㉠ MDD는 psychological and biological factors의 combination이다.

∴ 약물치료로써 이득을 얻을 수 있다.

㉡ 즉각적 충족을 주는 약이 아니므로 중독되지 않는다.

㉢ 치료 효과에 3~4주 시간이 걸린다.

㉣ 부작용이나 증상의 개선순서도 설명해 준다.

⇒ 항우울제 사용할 때 개선되는 순서

ⓐ poor sleep and appetite patterns

ⓑ agitation, anxiety, depressive episode, hopelessness

ⓒ low energy, poor concentration, helplessness, decreased libido

10. 기타 치료

1) 전기경련요법(ECT) - 가장 효과적인 우울증 치료법 중 하나

① 환자가 약물치료에 반응이 없을 때

② 환자가 약물치료를 참지 못할 때

③ 증상이 심하여 빨리 증상 개선이 필요할 때

④ 약물의 부작용이 문제가 될 때 예: 임신

⑤ 내인성 우울증에서 탁월한 효과

⑥ 병세가 더 심하고 망상적인 경우 TCA보다 치료 효과가 좋다.

2) 광선치료(photo therapy): 계절성 정서장애 치료에 효과적

3) 수면박탈(sleep-deprivation)이나 수면위상전진(sleep-phase advance)

주요우울장애 – 비전형적 양상 동반(with atypical features)

1. 진단기준★

A. 필수 증상은 기분의 반응성(긍정적 사건에 대해 반응하여 일시적으로 기분의 호전이 있는 것)

B. 다음 증상 중 최소한 2가지 이상이 최근 2주 동안 지배적이다.

1. 심각한 식욕증가 또는 체중증가
2. 수면 과다
3. 연마비(leaden paralysis: 팔 또는 다리가 납처럼 무거운 느낌 또는 마비된 느낌)
4. 기분장애 삽화에만 국한되지 않고, 장기간 지속되는 대인관계에서의 배척감에 대한 극도의 민감성으로 인해 사회 및 직업생활에 심각한 장애가 있음(rejection sensitivity)

2. 임상양상

1) 우울 삽화가 조기에 발병(예: 고등학교 시절에)
2) 좀 더 만성적이며 삽화적인 경과가 더 적음
3) 삽화와 삽화 사이에 회복은 부분적
4) 동반 질환: 공황장애, 물질의존 또는 물질남용, 신체화장애 등

3. 치료

1) 입원 : 자살이나 타살 위험도↑, 증상이 아주 심하거나 빠르게 진행
2) 약물치료 : 최소 4주 사용, 최소 6개월간 유지
   ① **SSRI (1st line)** : fluoxetine, fluvoxamine, paroxetine, sertraline
      ∴ 부작용 : 세로토닌 증후군, 성기능장애(발기부전, 사정곤란)
   ② 삼환계 항우울제(TCA) : imipramine, clomipramine, amitriptyline
      ∴ 부작용 : 항콜린성(배뇨곤란), 체중증가, 부정맥

지속적 우울장애(persistent depressive disorder, dysthymia)

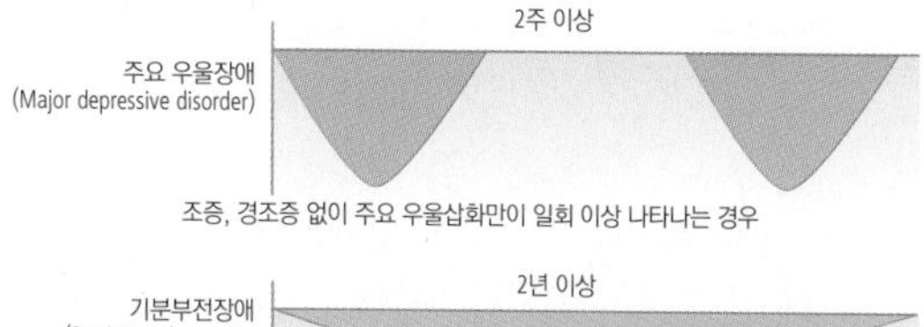

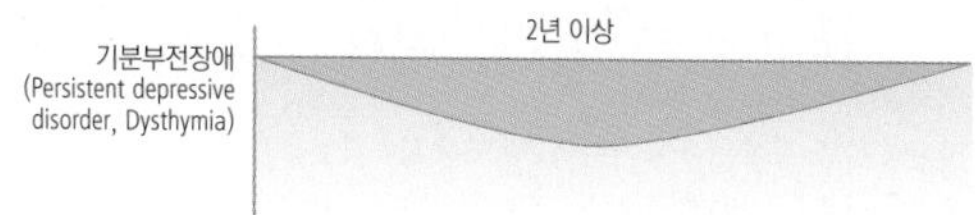

1. 개요

1) 경도의 우울 증상이 2년 이상 만성적으로 지속되는 상태
2) 어릴 때 혹은 청소년기부터 내내 우울 경험

2. 역학

1) 인구의 3~5%까지 보고
2) 50% 이상이 25세 이전에 발생, 여 >남(성인), 소아에서는 차이가 없다.
3) 젊고 미혼인 경우, 경제적 수입이 낮은 경우에 호발
4) 동반 질환: 주요우울장애(동반 시 예후 나쁨), 불안장애, 물질관련장애(알코올 포함), 경계성 성격장애
5) 20대 이전에 발병, 성격으로 생각
6) 20%는 주요우울장애로, 20%는 양극성장애로 발전

3. 원인

1) 주요우울장애보다 연구 부족
2) 성격적인 문제와 연관

4. 진단기준(DSM-5)

Dysthymia가 chronic major depressive disorder와 통합되어 'persistent depressive disorder'로 편입됨.

A. 적어도 2년 이상 거의 종일 우울한 기분이 있고 우울한 날이 그렇지 않은 날보다 많으며 다음의 6가지 중 2가지 이상이 나타남. 식욕, 수면, 피로감, 자존심 저하, 집중력 저하, 절망감 B. 겉으로 보이는 것보다 주관적인 느낌 흔함

5. 감별진단: 주요우울장애

: 만성화 및 지속성에 근거하여 구별한다.

1) 보통 일상생활의 기본적 요구는 수행 가능, 정신병적 증상은 없다.
2) 부적절한 죄책감과 자살사고는 없다.
3) 기타 기분장애와 감별: 증상은 우울 기분이 2년 이상 지속되며 조증의 삽화가 없다.
4) 스트레스에 대한 반응요소 강함

6. 치료

1) 치료받지 않는 경향. 주요우울장애와 동일한 약물 및 심리치료
2) 개인정신치료
3) 약물요법을 병행하면서 정신치료하는 것이 좋다.
4) SSRI: 일차선택약제, 리튬이나 갑상선호르몬을 추가하기도 한다.

5) MAO 억제제: 과수면, 식욕증가, 심한 불안 및 다수의 신체증상

6) 기타: 인지치료, 가족치료, 집단치료, 행동치료

양극성장애(Bipolar disorder)

양극성장애(bipolar disorder)

1. 진단 및 임상양상

- 조증 삽화의 DSM-5 진단기준

A. 비정상적으로 의기양양하거나, 과대하거나 과민한 기분과 적어도 1주 이상(만약 입원이 필요하다면 기간과 상관없이) 지속되는 증가된 목표지향적 활동과 에너지가 분명하게 두드러진 기간이 거의 하루 내내 그리고 거의 매일 나타난다.
B. 기분장애와 증가된 에너지나 활동의 기간 동안 다음 증상들 중 3가지(또는 그 이상)가 의미있는 정도로 나타남(기분이 과민한 상태라면 4가지) ("DIG FAST")
① 팽창된 자존심 또는 과대성("G": Grandiosity)
② 수면에 대한 욕구 감소(예: 단 3시간의 수면으로도 충분하다고 느낌) ("S": Sleeplessness)
③ 평소보다 말이 많아지거나 계속 말을 하게 됨(언어 압출)("T": Talkativeness)
④ 사고의 비약 또는 생각이 쏟아져 나온다는 주관적인 경험 ("F": Flight of idea)
⑤ 주의 산만(예: 중요하지 않거나 관계없는 외적 자극에 너무 쉽게 주의가 이끌림) ("D": Distractibility)
⑥ 목표 지향적 활동의 증가(직장/학교에서의 사회적/성적 활동) 또는 정신운동성 초조 ("A": Activity)
⑦ 고통스러운 결과를 초래할 쾌락적인 활동에 지나치게 몰두(예: 흥청망청 물건사기, 무분별한 성행위, 어리석은 사업 투자) ("I": Irresponsibility)
C. 기분장애는 사회적 또는 직업적 기능에 현저한 장애를 일으키거나, 자신이나 타인에게 해를 입히는 것을 막기 위해 입원이 필요할 정도로 심각하거나 정신병적 증상이 있다.
D. 증상이 물질(예: 약물남용, 투약 또는 기타 치료)이나 일반적인 의학적 상태(예: 갑상선기능항진증)의 직접적인 생리적 효과로 인한 것이 아니다.

주의: 항우울제 치료(예: 투약, 전기경련요법, 광선 치료)에 의해 나타났으나 그 치료법의 생리적 효과 이상의 본격적인 증후군 수준으로 지속되는 완전한 조증 삽화는 조증 삽화의 충분한 증거이며 따라서 I형 양극성장애 진단이다.

• 경조증 삽화

A. 비정상적으로 들뜬, 확장된, irritable한 기분이 4일 이상
B. 조증삽화 B항목과 동일
C. 명백한 기능의 변화
D. 타인에 의해 관찰됨
E. 기능장애가 심하지 않고 입원 필요할 정도가 아님, 정신병적 양상 없음
F. 조증삽화의 E항목 배제진단과 동일

• 혼재성 양상 동반(with mixed features)★
  - 주요 우울 삽화 중 대부분에서 일부 조증/경조증 증상들이 함께 나타날 때
  - 또는 조증/경조증 삽화 중 대부분에서 일부 우울 삽화의 증상들이 함께 나타날 때
  - 이러한 혼재성 양상에서는 전반적으로 약물의 치료 반응이 떨어지는 편임.

1) 제I형 양극성장애
  : 조증 삽화(manic episode)가 최소 1주일 이상 지속
  ① 단독조증삽화
  ② 최근 경조증/조증/우울/명시되지 않은 삽화
2) 제II형 양극성장애
  ① 한 번 이상의 주요우울 삽화 + 한 번 이상의 경조증 삽화
  ② 경조증: 4일 이상 지속되는, 들뜨거나, 의기양양하거나 과민하거나 활동과 에너지의 증가 동반
3) 급속 순환형 동반(with rapid cycling)
  ① I형, II형 양극성장애에서 지난 12개월간 조증/경조증/주요우울 삽화가 최소한 4회 있음
  ② 양극성장애의 5~15%, 여성이 70~90%, 장기적으로 예후가 좋지 못하다.
  ③ 기저 질환이나 유발 요인(약물, 알코올 남용 등)이 있나 확인이 필요
  ④ 치료: 기분안정제(valproate) 또는 비정형 항정신병약물(리튬에 잘 듣지 않음)

2. 치료

1) 약물치료
  ① 일차선택약제★: 리튬, carbamazepine, valproate
  ② 이차선택약제: clonazepam, 칼슘차단제(verapamil), clonidine, clozapine 등
  ③ 조증 상태의 초기에는 제1차 약물의 효과가 나타나고 처음 증상이 없어질 때까지 진정 효과가 있는 BDZ (clonazepam, lorazepam), haloperidol 겸해서 쓰다가 증상이 없어지면 감량해 나간다: 급성기 증상 완화
  ∵ 리튬의 효과가 나타날 때까지 5~7일이 걸리기 때문에 항정신병약물(haloperidol) 병용하여 사용(응급실에서 조증 삽화 급성 시 haloperidol이 유효)

④ 양극성 우울증의 치료: 1차 선택약물은 리튬이나 valproate

㉠ 최근 lamotrigine도 적극 권장됨, 항우울약물 단독치료는 피함

㉡ 심한 무기력감, 자살 위험, 정신병적 증상이나 임신 중에 심한 우울 증상 보일 때 ECT 고려

2) 입원 적응증

: 진단적 절차가 필요할 때, 자살이나 살인의 위험성이 있을 때, 환자가 안전을 도모할 수 없을 때, 식사를 소홀히 할 때 급성 증상악화가 있을 때, 과거 증상의 진행이 아주 빨랐던 기왕력이 있거나 또는 환자의 일상적 지지 체계가 붕괴되었을 경우

3) 전기경련요법(ECT)

① 상태가 심하거나 약물에 반응하지 않는 경우

② 임신 초기의 심한 조증 환자

3. 경과

1) 우울 삽화로 시작하는 수가 많다(여성 75%, 남성 67%).

2) 대부분은 우울과 조증 삽화를 교대로 경험: 우울증에서 조증으로 진행을 예측할 수 있는 요인

① 비전형 양상(수면, 식욕): 수면과다

② 감정과잉 기질, 기분변동 성격, 우울 혼재 상태

③ 양극성장애의 가족력

④ 급성 발병 후 짧은 시간 내 소실, 반복성 우울, 계절성

⑤ 어릴 적 발병, 25세 이전 정신병적 우울

⑥ 항우울제에 대한 효과 감소, 항우울제와 관련한 경조증

3) 치료하지 않은 조증 삽화는 3개월 정도 지속 → 3개월 이전에 약을 중단하면 안 됨

4) 질병의 경과에 따라 각 삽화간 간격이 짧아지는 수가 많다. → 대개 6~9개월 간격으로 안정됨

5) 삽화와 삽화 사이에는 대부분 완전한 회복

4. 예후

1) 주요우울장애보다 예후가 나쁘다.

2) 제I형 양극성장애 환자의 1/3은 만성적 증상과 심각한 사회적 기능장애를 가진다.

3) 예방적 리튬 투약으로 50~60%가 조절

4) 40~50%가 2년 내에 두 번째 조증 삽화

5) 재발률: 재발 없는 경우 ⇒ 7%, 한 번 이상 재발 ⇒ 45%, 만성적 장애로 진행 ⇒ 40%

6) 순수한 조증형이 우울형이나 혼합형보다 예후가 좋다.

7) 나쁜 예후: 병전 직업 기능이 나쁜 경우, 알코올의존, 우울 증상, 남자

8) 좋은 예후: manic episodes 기간이 짧고, 늦은 나이에 발병, 자살 사고가 거의 없거나 공존하는 정

신질환이나 내과적 문제가 없음

9) 조증형으로 시작한 경우가 예후가 나쁘다.

10) 어린 나이에 발병할수록 예후가 나쁘다.

순환성장애(cyclothymic disorder)

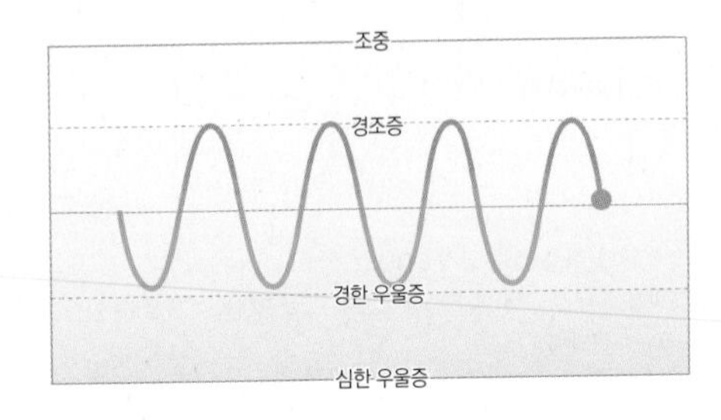

1. 임상양상

1) 대개 ego-syntonic, 최소 2년간 여러 번의 hypomanic episode와 여러 번의 mild depressive episode 가 있음(양극성장애 II의 mild form)
   (cf. 양극성장애 II: hypomanic episode + major depressive episode)

2) 경계성 성격장애 등 성격장애가 동반되는 경우가 많다.

3) 유전적 요인, 가족력, 생물학적 요인

4) 역동적으로 어린 시절 구순기적 갈등, 외상 및 고착과 혼란된 대상 관계

5) 기분변화가 급격하고 불규칙적

6) 알코올이나 약물남용을 겸하는 환자: 5~10%

7) 양극성장애 환자의 5~15%에서 급속순환형 정동장애 발생

2. 진단(DSM-5)

A. 적어도 2년(소아와 청소년은 1년 이상) 경조증 삽화에 해당하지 않는 많은 경조증 증상과 주요우울삽화의 기준을 충족하지 않는 많은 우울 증상이 있었고
B. 적어도 2년 동안(소아와 청소년은 1년 이상)에 경조증 또는 우울의 기간이 그 기간의 반 이상이고, 한 번에 2개월 이상 기준 A의 증상이 없이 지낸 적이 없고
C. 주요우울삽화, 조증삽화, 경조증삽화의 기준을 충족한 적이 없다.
D. 기준 A의 증상은 분열정동장애, 조현병, 조현형 장애, 망상장애, 또는 다른 특정 또는 비특정 조현병 스펙트럼 및 기타 정신병적 장애로 더 잘 설명되지 않아야 하며
E. 물질(예: 남용약물, 치료약물)이나 다른 의학적 상태(예: 갑상선기능저하증)의 생리적 효과 때문이 아니여야 한다.
F. 사회적, 직업적 또는 다른 중요한 기능 영역에서 임상적으로 유의한 고통 또는 손상을 일으킨다.

3. 치료

1) 약물치료: lithium, carbamazepine, valproate 등
2) 장기간의 가족치료, 그룹치료: 환자를 정서적으로 지지

4. 경과 및 예후

1) 10대 또는 20대 초기에 서서히 발생
2) 증상은 I형 양극성장애에서 볼 수 있는 것과 동일하며 대개 증상이 경하다. 때로 중증도가 I형 양극성장애와 동일할 수 있으나 기간이 짧게 나타날 수도 있다.
3) 약 1/3에서 주요 기분장애를 갖게 되며, 대개는 II형 양극성장애로 발전
4) 우울증 삽화의 빈도가 높을수록 만성적이고 회복이 잘되지 않으며 일찍 발병하는 경향이 있으며 주요우울장애의 위험이 크다.

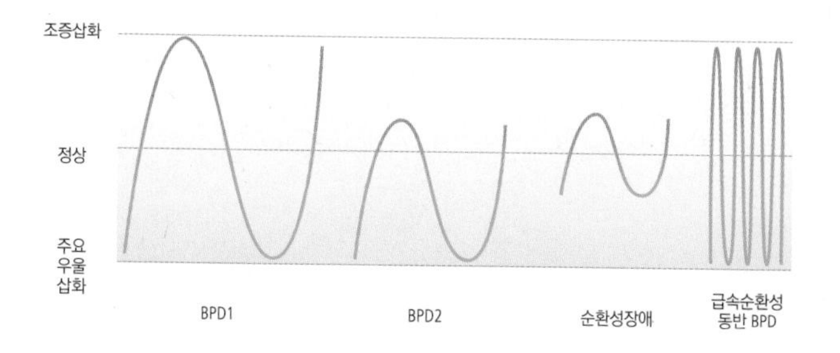

장애 / 삽화		우울성장애		양극성장애		
		주요우울장애 (MDD)	지속적 우울장애 (persistent depressive disorder)	BPD 1	BPD 2	순환성장애 (cyclothymic disorder)
우울	주요우울삽화	O	±	±	O	×
	경우울삽화	±	O, 2년 이상	±	±	O, 2년 이상
조증	조증삽화	×		O	×	×
	경조증삽화			±	O	O, 2년 이상
	혼합삽화			±	×	×
치료		SSRI, SNRI, NaSSA, bupropion, TCA, MAO 억제제 등 항우울제		리튬, VPA, CBZ 등		

10 CHAPTER 불안장애

불안장애

공황장애(panic disorder)

1. 정의

1) 갑작스런 심한 불안발작과 이에 동반되는 죽을 것 같은 두려움을 특징으로 한다.

2) 반복적으로 예상치 못하게 나타나는 공황발작으로 인해 수 분 이내에 극심한 공포와 고통이 최고조에 이르게 됨.

2. 역학

1) 인구 100명 중 2~3명에서 발병한다고 알려져 있는데 실제 공황발작을 경험하는 사람들은 이보다 훨씬 많다. 대체로 많은 사람들은 한 번의 공황발작으로 끝나는데 그 중 일부가 반복적인 공황발작을 경험하는 공황장애로 발전

2) 발병연령은 25세 이후에 흔히 나타나는 것으로 알려져 있지만 어느 연령에서도 나타날 수 있고 최근에는 중장년층에서 치료받는 경우가 많다.

3) 사회적 요인으로 최근 이혼이나 별거

4) 동반질환: 우울증, 범불안장애, 사회공포증, 광장공포증, 과호흡증후군

3. 원인

1) 생물학적 원인

① 주요 신경전달물질: norepinephrine, serotonin, GABA

② lactate infusion 시 공황발작이 유발

③ 승모판탈출증(mitral valve prolapse)이 공황장애와 관련
④ clonidine에 대한 GH 반응이 감퇴
⑤ TRH에 대한 prolactin과 TSH의 반응도 감퇴
⑥ TCA와 MAO 억제제가 공황발작을 치료한다는 사실이 어떤 생물학적 원인이 있음을 시사
⑦ locus ceruleus (alarm system)의 threshold가 낮아진 경우: 카테콜라민 상승, 증상 유발
⑧ 불안을 중개하는 중추신경계 기관으로 편도핵(amygdala)의 역할이 주목

2) 심리적 원인
① 스트레스: 가성 질식 알람 가설, 신경회로 모델, 신경화학적 이상 등
② 신체증상에 과민하고 어떤 일들을 재앙적으로 사고하는 습관과 관련된다는 보고도 있다. 즉 그 상황에서 있을 수 있는 불안발작을 가장 심각한 병으로 인한 것으로, 그래서 쓰러지거나 죽을 지도 모른다는 극단적인 생각을 하는 사람에서 잘 나타난다는 것이다. 실제 공황장애 환자는 자신에게 나타난 공황발작의 원인을 뇌졸중이나 심장병과 같은 심각한 신체질환 때문일 것이라고 믿고 이를 발견하기 위하여 내과 등 여러 과를 전전하는 경우가 많은 것이 특징
③ 불안의 근원: 이별불안(separation anxiety), 거세불안(castration anxiety), 자아불안(ego anxiety), 충동불안(id anxiety)
④ 미숙하고 의존적인 병전 성격
⑤ 정신분석이론
㉠ 억압이 공황발작과 관련된 주된 방어기제
㉡ 아동기 이별불안(separation anxiety)이 성인에서 재현
㉢ 광장공포증 동반 공황장애 시 관련된 방어기제: 억압, 전치(displacement), 회피, 상징화
- 즉 공공장소에서 혼자 있는 것은 버림받았다는 소아기 때 심한 사회적 스트레스가 유발요인. 이별불안이 재현된 것
- 대표적인 경우가 상실(loss), 특히 17세 이전의 부모 상실

㉣ 광장공포증을 일으키는 대부분의 경우가 공황장애에 의해 기인

4. 임상양상

1) 아무런 예고 없이 갑작스럽게 발생하는 불안장애
2) 거의 죽을 것 같은 공포심 유발
3) 불안발작 외에도 두근거림, 온몸이 떨림, 호흡곤란, 흉통, 가슴 답답함, 어지럼증, 오심, 발한, 질식감, 손발 이상감각, 머리가 멍함
4) 응급실을 찾게 되나 검사상 특별한 이상 소견이 발견되지 않고 시간이 지나면 소실
5) 광장공포증이 자주 동반

6) 10분 이내의 급격한 불안

5. 진단

다음 중 적어도 4개 이상

1) 심장이 두근거리거나 빨라짐
2) 식은땀
3) 손, 발 혹은 몸이 떨림
4) 숨이 막히거나 답답한 느낌
5) 질식할 것 같은 느낌
6) 가슴이 아프거나 압박감
7) 메스껍거나 뱃속이 불편함
8) 어지럽거나 쓰러질 것 같은 느낌
9) 몸에서 열이 오르거나 오한이 남
10) 감각 이상(둔하거나 따끔거리는 느낌)
11) 비현실적인 느낌 또는 이인증(자신이 달라진 느낌)
12) 미쳐 버리거나 자제력을 잃어버릴 것 같은 두려움
13) 죽을 것 같은 두려움

6. 감별질환

1) 내과질환: 승모판탈출증 등 심혈관질환, 천식 등 호흡기질환, 갑상선기능항진증, 부갑상선기능항진증, 갈색세포종 등 내분비질환, 메니에르병 등 전정기능이상
2) 정신질환: 알코올 금단, 특정공포, 범불안장애, 외상 후 스트레스장애 등

7. 치료

1) 약물치료
   ① 항우울제 및 항불안제
   : 1차 선택약물은 SSRI로 유지치료에도 사용하나, benzodiazepine은 급성기에만 사용
   ② 기타: SNRI, NaSSA, TCA(clomipramine, imipramine), MAO 억제제 등
2) 인지행동치료
   ① 공황과 관련된 정신교육(psychoeducation)
   ② 인지행동치료(잘못된 신념에 대한 교육 및 노출)

8. 경과 및 예후

1) 30%: 수 년 내에 재발없이 완전히 완화
2) 35%: 현저히 호전되며, 호전과 악화를 반복
3) 부적절한 치료를 받는 것이 불충분한 반응을 보이는 중요한 요인
4) 약물을 중단하였을 때, 6개월 내 25~50%의 환자가 재발

광장공포증(agoraphobia)

1. 임상양상

1) 넓은 장소(사람이 많은 거리나 상점)뿐만 아니라 혼자 있는 것(터널, 다리, 엘리베이터), 도중에 내리기 어려운 교통수단(지하철, 기차, 버스, 비행기)에 대한 공포 등 다양
2) 집을 떠남, 슈퍼, 백화점, 극장, 운동경기장, 여행, 버스, 지하철, 비행기, 좁은 공간, 빠져나가기 힘든 장소, 높은 장소, 긴 다리 건너기, 승강기 등을 피하려고
3) 예기불안, 회피
4) 자율신경계통의 신체변화

2. 진단기준

A. 다음 상황 중 2가지 이상에서 두려움 및 불안 1) 대중교통 2) 개방된 공간 3) 닫힌 공간 4) 줄을 서 있거나 군중 속에 있을 때 5) 집 밖에서 홀로 있을 때 B. 공황발작과 유사한 증상이 나타났을 때 그곳에서 벗어나기 어렵다고 생각하며 두려워하거나 회피함

- DSM-5: 광장공포증과 공황장애를 따로 분류 → 동시에 같이 발생한 경우는 dual diagnosis

3. 치료 및 예후

: 공황장애와 같음. 약물치료, 인지행동치료(예기불안, 회피행동), 정신치료
1) 공황장애가 동반하는 광장공포증: 공황증세가 호전하면 같이 호전함
2) 공황장애가 동반하지 않는 광장공포증: 잘 만성화하여 예후가 나쁨

특정 공포증(Specific phobia)

1. 역학

1) 비교적 유병률이 높은 정신질환 중 하나이며, 평생 유병률 5~12%
2) 일반적으로 여성에서 약 2배 더 많고 청소년기 이전에 대부분 호발

2. 임상양상

1) 공포 대상 직면 시 극도의 불안 상태에 빠져 허둥대거나 기절하는 등 자기통제력 상실에 대한 두려움. 공포 수준은 공포 자극과의 근접성과 회피 가능성에 관련
2) 종류
   ① 동물
   ② 자연환경: 폭높이, 태풍, 물 등에 대한 공포
   ③ 혈액-주사-손상: 피를 보거나 주사를 맞거나 기타 의학적 검사를 두려워하는 것으로 이 경우 혈관미주신경반사가 매우 예민
   ④ 상황: 비행기, 엘리베이터 등

3. 진단: DSM-5 진단기준

A. 특정한 대상이나 상황에 대해서 현저하고 지속적인 공포.
B. 공포자극에 노출되면 거의 예외 없이 즉각적인 불안반응
C. 공포 상황을 회피하거나, 심하게 불안해하며 견딘다.
D. 사회적 맥락에서 봤을 때 공포를 느끼는 상황이 실제 위험할 정도는 아님.
E. 6개월 이상 유지

4. 치료

1) 행동치료
   ① 체계적 탈감작법(systematic desensitization): 긴장을 이완시킨 상태에서 약한 공포 자극부터 점차 강한 공포 자극을 노출시키는 방법
   ② 노출치료(exposure therapy): 반복 노출을 통해 공포 자극에 적응하도록 유도
   ③ 실제적 노출법(in vivo exposure): 실제로 공포 자극에 노출
   ④ 심상적 노출법(imaginal exposure): 공포 자극을 상상하게 하여 노출
   ⑤ 점진적 노출법(graded exposure): 공포 자극에 조금씩 점진적으로 노출
   ⑥ 홍수법(flooding): 단번에 강한 공포 자극에 직면
   ⑦ 참여적 모방학습법(participant modeling): 다른 사람이 공포 자극을 불안 없이 대하는 것을 관찰함으로써 공포증 치료

⑧ 이완훈련(relaxation training): 불안과 공존할 수 없는 신체적 이완상태를 유도

2) 인지치료: 실제로는 그 대상이나 상황이 위험하지 않고 안전하다고 인식

3) 약물치료: 불안 완화를 위해 벤조디아제핀이나 베타차단제 사용

사회불안장애(social anxiety disorder)

1. 임상양상

1) 면밀한 관찰이나 부정적 평가를 받을 수 있는 사회적 상황에 대한 현저하고 심각한 공포와 불안

2) 이로 인하여 증상을 유발할 수 있는 사회적 상황에 대한 회피로 이어짐

3) 13~20세경 이른 나이에 발병하여 사회적, 직업적 기능의 손상을 유발

4) 6개월 이상 되어야 진단(∵ 아동기 일시적 사회공포)

2. 진단

사회불안장애의 DSM-5 진단기준
A. 타인이 주시하는 상황에 처해 있을 때 현저한 공포 혹은 불안
B. 부정적으로 평가될만한 불안함을 드러내는 것을 두려워함
C. 상황에 처하게 되면 거의 예외 없이 불안해함
D. 그런 상황을 기피하거나 심한 고통이나 불안을 겪으며 견딤
E. 사회적 맥락에서 봤을 때 공포를 느끼는 상황이 실제 위험할 정도는 아님
F. 6개월 이상 증상이 지속

3. 치료

1) **약물치료 : SSRI, β-blocker**(무대공포와 같은 수행공포 증상 있을 때 1시간 전에 사용)

2) **행동치료 : 체계적 탈감작법(systematic desensitization), 실제 상황 노출**

3) **인지치료** : 공포를 일으키는 상황이 실제로는 안전하다는 것을 인식

범불안장애(generalized anxiety disorder)

1. 개요

1) 수많은 **일상 활동에 대해 끊임없이 걱정하고 이유 없이 항상 마음이 불안**

2) **불안과 걱정 + 다음과 같은 증상(3가지 이상)**이 **6개월 이상** 동반

:안절부절 못하고 긴장이 고조, 쉽게 피곤해짐, 집중이 어려움, 쉽게 짜증냄, 근육 긴장, 수면장애

3) 기질적 질환(갈색세포종, 갑상선기능항진증, 심장질환 등)을 배제해야 함

2. 임상양상★

1) 스스로 조절이 안 되는 지나친 걱정과 불안증상
2) 안절부절, 피로감, 근육긴장, 과민함, 집중부족, 불면증 등 동반
3) 걱정과 불안이 핵심증상
4) 일상생활에 일어나는 모든 일에 대해 끊임없이 걱정
5) 환자들은 대부분 신체장애의 일종이라 생각
6) 증상 악화요인: 스트레스, 높은 불안 감수성, 잦은 부정적 감정 경험, 우울증이나 다른 불안장애의 병발 등

3. 진단

1) 최소한 6개월 이상의 과도한 걱정이나 불안
2) 스스로 조절하기 어렵다
3) 적어도 3개 이상의 증상
   ① 안절부절하거나 긴장이 고조되거나 벼랑에 선 느낌
   ② 쉽게 피로해짐
   ③ 집중하기가 어렵고 멍한 느낌
   ④ 매사에 예민함
   ⑤ 근육의 긴장
   ⑥ 수면장애

4. 치료

1) 일반적인 치료원칙
   ① 범불안장애 환자는 자신이 신체질환을 의심하기 때문에 우선 신체질환이 없음을 확인해 주는 것이 중요
   ② 종합검사 결과 신체질환이 드러나지 않았더라도, 일단 필요한 검사를 행한 후 치료자가 진단에 대한 모호한 태도를 보이지 않아야 한다.
   ③ 신체질환에 대한 의문에 대해 친절히 설명해 주고, 진지하고 위엄이 있으나 친절한 태도를 견지해야 한다.

2) 약물치료
   ① 약물치료는 만성적인 장애임을 염두에 두고 신중히 결정해야 한다.
   ② **약물치료 : SSRI,** SNRI, **벤조디아제핀계 항불안제, buspirone** 등

3) 정신치료: 치료 동기가 강한 환자에게 좋은 치료법
   ① 지지적 정신치료: 위로와 안심시키는 방법
   ② 통찰적 정신치료: 무의식적 갈등과 자아기능의 능력에 초점
   ③ 행동치료: 이완요법과 biofeedback 치료
   ④ 인지치료: 환자의 인지적 왜곡을 다루고 대응 전략을 마련 범불안장애의 가장 효과적인 치료법은 정신치료, 약물치료, 지지적 치료를 병용

5. 경과 및 예후
   1) 발병 중앙 연령이 30세로 다른 불안장애보다 늦음
   2) 대개 증상이 일생을 통해 호전과 악화를 반복하며 장기간 지속되고 만성화되는 양상
   3) 다른 정신과적 공존질환을 흔히 동반하므로 경과와 예후 예측이 어려움
   4) 주요우울장애나 알코올사용장애 등 물질사용장애 공존 시 기능이 더 안 좋고, 만성적이며 예후 불량

소아기 불안장애(Childhood anxiety disorder)

※ 성인 불안과의 차이점
   1) 소아 성인 간의 질환의 비연속성
   2) 소아 불안장애는 정상 발달의 과장된 표현
   3) 정신적인 기제가 성인과 다르다.
   4) 불안장애 간의 구분이 명확하지 않다.

분리불안장애(separation anxiety disorder)

1. 역학
   1) 아동 및 초기 청소년의 4%
   2) 남 = 여
   3) 7~8세에 가장 흔함

2. 원인
   1) 양육: 과도한 보호, 엄마가 불안장애, 불안정 애착

2) 과도한 스트레스

3) fearful한 부모를 modeling

4) 유전적 요인

3. 증상

1) 학교 거부: SAD의 75%에서 학교 거부, 학교 거부의 50~80%가 이별불안장애

2) 분리 상황에 대한 공포와 고통

3) 신체증상의 반복적 호소

4) 악몽

5) 영아기: 잘 보채고 징징대고 엄마가 안고 있거나 업고 있다.

6) 유치원: 안 가려고 함(> 1주), 억지로 떼어놓으려고 하면 아프다고 함

4. 진단: 분리불안장애의 DSM-5 진단기준

A. 다음 중 3가지 이상이 나타나야 한다.
① 애착된 사람으로부터 분리되는 것에 대한 발달적으로 부적절한 그리고 과도한 공포와 불안
② 집 또는 주요 애착대상과 분리되거나 분리가 예상될 때 재발하는 과도한 공포와 불안
③ 주요 애착대상을 잃거나 그에게 해로운 일이 일어날 거라고 지속적으로 심하게 걱정
④ 주요 애착대상과 분리될 거라는 비현실적인 걱정을 지속적으로 한다.
⑤ 분리불안 때문에 등교나 외출을 지속적으로 싫어하거나 거부한다.
⑥ 혼자 애착대상 없이 지내는 데 대해 과도한 두려움을 느끼거나 이를 거부한다.
⑦ 집을 떠나거나 애착대상이 없는 상황에서 잠자기를 싫어하거나 거부한다.
⑧ 분리 주제와 관련된 반복적인 악몽을 꾼다.
⑨ 주요 애착대상과의 분리가 예상될 때 반복적인 신체증상 호소(예: 두통, 복통, 오심, 구토)
B. 공포, 불안, 회피가 지속적이어서,
소아와 청소년에서는 최소 4주, 성인에서는 전형적으로 6개월 이상 계속된다.
(DSM-5: 전 연령에서 발병) (DSM-IV: 18세 이전에 발병)
C. 임상적으로 유의한 고통 또는 사회, 학업, 기타 주요 분야에서의 기능에 지장을 초래한다.
D. 다른 정신장애(전반적 발달장애, 조현병, 또는 기타 정신장애)로 더 잘 설명되지 않는다.

5. 경과

1) 가장 흔한 아동기 불안장애

2) 예후가 좋은 경우: 어린아이, 학교 출석

3) 광장공포증과 연관 관계는 밝혀지지 않음

6. 치료원칙

1) 가족치료와 지지적 면담 치료

2) 분리를 목표로 하는 인지행동치료

3) 약물 – SSRI, TCA, benzodiazepine

선택적 함구증(selective mutism)

1. 개념 및 역학

1) 소아가 말을 이해하고 할 줄 알면서도 어떤 특정 상황에서 입을 다물고 말하기를 거부하는 질환

2) 유병률: 1만 명당 3~8명, 남 < 여

2. 원인

1) 감정적 외상

2) 수줍어하는 가족력

3) 분리불안과 관련된 문제

4) 가족: 부모의 불화, 엄마의 우울증

5) 언어장애, 정신지체, 언어지연

3. 임상양상

1) 보통 4~8세

2) 4가지 유형

① symbiotic: 과잉보호, 엄마 외에는 다른 사람과 얘기하지 않음

② reactive: 사고, 우울, 깜짝 놀란 후

③ speech phobia: 자기 목소리가 끔찍하게 들리는 경우

④ passive aggressive: '삐쳐서'

3) 비언어적 소통은 한다.

4) 보통 학교에서, 드물게 집에서 보임

5) 분리불안, 학교 거부

4. 진단

1) 다른 상황에서는 말을 할 수 있음에도 불구하고 특정 상황에서 함구

2) 기능의 장애

3) 적어도 1개월 이상

4) 언어의 지식이나 불편함의 문제가 아니어야 한다.

5) 의사소통장애, 자폐스펙트럼장애, 조현병, 다른 정신질환에 의한 것이 아닐 것

5. 경과

1) 발병: 5~6세
2) 대부분 수 개월 이내, 일부는 수 년간
3) 50%에서 5~10년 이내 호전
4) 10세 이전에 호전되지 않고 12세 이상까지 지속된다면 예후가 불량

6. 치료

놀이치료, 정신치료, 행동치료, 언어치료, 가족치료, 약물치료(fluoxetine)

11 CHAPTER 강박장애

1. 정의

1) 자신의 의지와는 무관하게 특정한 생각이나 행동을 반복하고 그것을 억제하지 못하는 병적 상태
2) 강박행동을 통해 내재된 불안은 일시적으로 감소하지만 강박행동을 중지하면 다시 불안 증세가 나타나므로 불합리한 줄 알면서도 반복하지 않을 수 없다.

2. 역학

1) 일반 인구 중 유병률은 2.14~3%
2) 남녀비는 비슷(사춘기에서는 남자가 많다.)
3) 발병 시기: 사춘기에서 성인 초기
4) 학력이나 지능이 높은 경향이 많다.
5) 우울증, 사회공포증 등과 공존하는 수가 많다.
6) 일란성 쌍생아의 일치율이 이란성 쌍생아의 일치율보다 유의하게 높게 나타남. 강박장애 환자의 일차 가족 중에 35%가 강박장애가 있음
7) 강박장애와 강박성 성격장애와는 뚜렷한 연관이 없다.

3. 원인

1) 생물학적 요인
  ① 신경전달물질
    ㉠ 세로토닌 부족/조절 이상
    ㉡ 도파민계 이상
  ② 신경해부/뇌영상연구: frontal cortex-striatum-thalamus loop
    ㉠ 기능적 뇌 영상연구(PET): ★<u>전두엽, 기저핵(특히 미상엽), 대상회(cingulum)</u> 활동 증가

ⓒ 구조적 뇌 영상연구(MRI, CT): 미상엽(caudate lobe)의 크기가 양측 다 감소

③ 기타

㉠ 가족력 시 위험 증가, 쌍생아 연구, 위험 유전자

㉡ 우울장애와 유사성: 수면뇌파, 신경내분비 소견

2) 심리사회적 요인

① 행동이론

㉠ 강박사고: 중립적인 강박사고가 불안을 유발하는 비조건화 자극과 짝지워짐

㉡ 강박행동 또는 회피: 일시적인 불안감소 작용 때문에 강화되고 학습됨

② 정신역동적

㉠ 공격성, 청결 등과 관련한 내용: 항문기 발달과제

㉡ 3대 방어기제: 고립(isolation), 취소(undoing), 반동형성(reaction formation)

- 고립: 고통스러운 생각이나 사건을 그것과 연관된 감정으로부터 떼어나 고립시킴으로써 자신을 보호자는 기제. 감정적 동요 없이 불쾌한 생각을 장황하게 늘어놓음
- 취소: 의례적 행위를 통해 성적, 공격적 의도를 제거하거나 자신의 행동에 대한 책임을 면제받고자 하는 기제. 강박적 손씻기-자위행위의 수치감
- 반동형성: 개인이 느끼는 고통스런 감정이나 생각들이 그것과 반대되는 내용들로 대체되는 현상. 부모에 대한 적개심-부모에 대한 지나친 염려 "때리는 시어머니보다 말리는 시누이가 더 밉다."

4. 임상양상

∴ <u>강박사고 → 불안을 증가</u>, <u>강박행동 → 불안을 감소</u>

1) 반복적 사고와 반복적 행동을 모두 보이는 경우가 75%

2) 흔한 증상

① 오염. 손을 반복해서 씻음

② 의심. 확인을 하는 증상

③ 강박사고만. 대부분 성적인 내용이거나 공격적인 행동

④ 줄 맞추기. 대칭으로 맞추거나 정확하게 하려는 것

⑤ 강박적 사고로 일상행동을 정확히 하기 위해 미적대고 꾸물대며 느리게 수행

⑥ 죽음이나 삶의 가치 및 우주관 등 해결될 수 없는 관념 또는 종교적 강박사고에 대한 되풀이 생각

⑦ 쓸데없는 줄 알면서 자질구레한 헛걱정을 되풀이하는 강박사고

3) 24~33%는 악화와 관해를 반복, 11~14% 완전 관해, 54~64% 증상 지속 및 악화

강박사고

부정적인 외부자극과
연결된 침투적이고
반복적인 사고

오염에 대한 공포
공격적 사고
신체적 집착
대칭에 대한 집착

강박행동

강박사고를 중화시켜
불안을 감소시키고자
하는 반복적인 행동
이나 사고

확인
반복
세척

강박사고의 내용

내용	강박사고	강박행동
오염/세척	- 먼지, 세균에 대한 걱정 - 신체 배설물이나 분비물에 대한 걱정, 혐오감	- 손을 강박적으로, 제례적으로(ritualistic) 씻음 - 반복적, 제례적인 청소 - 오염과 관련된 정신적 의식
대칭/정렬	- 무엇이든 정확하고 완벽하게 해야 한다. - 대칭적이고 똑바로 정렬되어 있어야 한다. - 말을 정확하게 하지 않았을까 걱정함	- 지신의 실수를 확인 - 순서대로 늘어놓거나 정리정돈 - 세는 반복행동 - 다시 읽거나 쓰려고 함
공격적/성적	- 자신/가족/타인을 해칠지도 모른다. - 자신/가족/타인이 해를 입을지도 모른다. - 끔찍하고 폭력적인 심상 이미지 - 성적 금기사항과 관련한 심상/생각 - 신성모독/불경스러움 - 공격적/성적 내용에 대하여 말실수할지도 모른다.	- 해치거나 해를 입지 않았는지 확인 - 피해를 막기 위한 확인/반복행동/제례 - 성적 금기사항과 관련한 확인/반복행동
기타	- 징크스 - 행운의 숫자/불행의 숫자, 색깔 - 의미없는 심상/장면, 단어, 멜로디 등	- 미신적 행동 - 강박적 지연(slowness)

5. 진단

1) 강박사고 또는 강박행동이 있음

① 강박사고

- 반복적/지속적인 생각, 심상, 압박
- 침습적이고 불쾌하며, 불안과 고통을 초래함
- 환자는 이를 무시하거나 억제하거나 중화하려고 함

② 강박행동

- 강박사고에 대한 반응 혹은 규칙에 따르는 반복적인 행동이나 정신활동(손씻기, 정리정돈,

확인, 기도, 숫자세기 등)

- 원치 않는 결과를 막기 위한 행동이지만 정도가 지나치거나 현실적 연관성이 없음

2) 현저한 기능장애, 고통 또는 시간 소모

3) 물질/신체질환, 다른 정신장애 감별

강박장애의 진단기준
A. 강박적 사고 또는 강박적 행동 강박적 사고는 (1)과 (2)로 정의된다. (1) 반복적이고 지속적인 사고, 충동 또는 심상, 이 주요 증상은 장애가 경과하는 도중 어느 시점에서 침입적이고 원치 않는, 현저한 불안이나 고통을 일으킨다. (2) 개인은 이러한 사고, 충동, 심상을 무시하거나 억압하려고 시도하며 다른 생각이나 행동에 의해 중화하려고 한다. 강박적 행동은 (1)과 (2)로 정의된다. (1) 반복적인 행동(예: 손씻기, 정돈하기, 확인하기) 또는 정신적인 활동(예: 기도하기, 숫자 세기, 속으로 단어 반복하기), 이러한 증상은 개인의 강박적 사고에 대한 반응으로, 또는 엄격하게 적용되어야 하는 원칙에 따라 수행되어져야 한다는 압박감을 동반한다. (2) 강박적 행동이나 정신적 활동은 고통을 예방하거나 감소하고, 두려운 시간이나 상황을 방지하거나 완화하려는 것이다. 그러나 이러한 행동이나 정신적 활동이 중화하거나 방지하려고 하는 것과 현실적인 방식으로 연결되어 있지 않으며 명백하게 지나친 것이다. B. 시간을 소모하는(예, 하루에 1시간 이상) 강박적 사고나 강박적 행동은 심한 고통을 초래하거나 정상적인 일, 직업적(또는 학업적) 기능 또는 사회적 활동이나 사회적 관계에 심각한 지장을 초래한다. C. 이 장애는 약물(예: 남용약물, 치료약물)이나 일반적인 의학적 상태의 직접적인 생리적 효과로 인한 것이 아니다.

6. 치료

1) 약물치료: 항우울제는 우울증에 비해 훨씬 고용량/장기간 투여

① SSRI (fluoxetine, sertraline, paroxetine, fluvoxamine): 1차 선택약물

② Clomipramine (TCA): 2차 약물, 주로 세로토닌 재흡수 차단

③ SSRI, TCA에 치료반응 없을 때 - MAO 억제제, buspirone, trazodone, clonazepam

④ 틱 장애, 망상장애 동반 시 - SSRI + 도파민 차단제(risperidone, olanzapine)

: 약물치료 효과는 대략 4~6주가 되어야 효과가 나타나고 8~12주에 최대 효과, 강박사고보다는 강박행동에 더 효과적이다. 약물은 최소 6~12개월 지속되어야 한다.

2) 정신치료

① 행동치료

㉠ 약물치료에서보다 환자 본인의 협조와 의지가 중요

㉡ 노출과 반응방지(ERP: exposure and response prevention)★

- 자주 손을 씻는 환자에게 더러운 물건을 만지게 한 뒤 손을 씻지 못하게 함

- cf. 공포장애에서 노출

ⓒ 사고중지법

② 인지치료: 왜곡된 사고에 대한 점검 및 재구조화

③ 통찰치료, 지지적 정신치료, 집단치료, 가족치료 등

④ 심한 환자에게 ECT, 정신외과 수술(cingulotomy), 심부뇌자극술(deep brain stimulation) 고려

∴ 약물치료와 행동치료 병행 시 효과가 가장 좋다.

7. 경과

1) 자연 경과: 관해 10%, 관해~악화 반복 30%, 지속 및 악화 60%

2) 나쁜 예후: 소아기 발병, 괴이한 강박행동, 망상에 가까운 강박

8. 예후

1) 좋은 예후

① 강박사고가 주이고 강박행동이 적을 때(cf. 강박사고 내용과 예후는 상관이 없다.)

② 병전사회, 직업적 적응이 좋았을 때

③ 유발인자(+)

2) 나쁜 예후

① 강박행동이 심할 때

② 어린 시절 발병

③ 강박행위가 괴이할 때

④ 강박행동에 저항하지 않고 굴복할 때

⑤ 입원 필요성이 있을 때

⑥ 우울증 동반, 망상적 믿음이 있을 때

⑦ 성격장애(특히 분열형 성격장애)

⑧ 공황장애보다는 예후가 좋지 못하다.

기타 강박관련장애(obsessive-compulsive related disorder (OCRD)

❶ 신체이형장애(= 신체변형장애, 신체추형장애, body dysmorphic disorder)

1. 개요

1) 다른 사람들은 잘 못 보거나 약간 보일 수 있는 외형적 결함에 대해 집착

2) 반복적 행동(거울보기 등)이나 생각(다른 사람과의 비교 등)

3) Serotonin계 문제: 우울장애 동반, 강박장애 가족력, SSRI가 효과적
4) 성적/감정적 갈등이 신체부위로 대치, 사회/문화적 미적 기준(외모지상주의)와 연관

2. 역학

1) 15~30세에 발병, 여 > 남, 미혼 > 기혼
2) 90%에서 우울증 동반

3. 임상양상

1) 정상적인 사람이 자신의 외모가 달라졌거나 추한 모습으로 변했다고 믿는 경우
2) 성형외과, 피부과, 교정치과/구강외과 등에서 흔히 발견(피부과 9~12%, 성형외과 내원 환자의 3~53%): 비현실적 기대, 반복 수술, 편집사고, 폭력성
3) 반복행동(예, 하루에 3시간 이상 거울보기)
4) 회피행동(예, 사회생활 없이 고립)
5) 안전행동(예, 선글라스, 깊은 모자)
6) 남을 의식한 나머지 집 안에서만 지내며 사회생활에 문제가 생기기도
7) 30%에서는 정신병적 수준
8) 억지로 떼를 써서 수술을 받고도 외모에 대한 불만 계속
9) 망상장애와 구분이 쉽지 않음
10) 대부분 만성적

4. 진단

: 실제로는 없거나 미미한 신체결함에 대한 집착으로 인한 고통, 사회적/직업적 기능장애

5. 치료

1) 약물치료: SSRI (1차 선택약물)
2) 인지행동치료/지지적 정신치료

❷ 저장장애(hoarding disorder)

출처: 집 안에 쓰레기 더미…'저장 강박'치료 시급, 2017년 5월 5일자 KBS 뉴스

1. 개요

1) 실제 효용성과는 상관없이 주관적으로 가치를 부여하며 수집한 물건을 버리기 어려워함
2) 모든 종류의 물건이 될 수 있고, 불량한 위생 환경으로 이어질 수 있음
3) 가장 흔하게 수집하는 형태는 구입이며, 공짜 물건이나 훔친 물건을 수집하기도 함

2. 임상양상

1) 쓸모가 없거나 가치가 없는 물건을 수집하고 버리지 못하는 것이 주 증상
2) 쓰레기로 버리기, 팔기, 양도하기, 재활용하기 등 어떠한 형태로도 버리지 못함
3) 주관적인 필요성, 강력한 감정적 애착 등의 이유로 버리지 못하고, 버리는 것을 고통스러워함
4) 생활공간에 이러한 물건들이 가득하여서 그 공간이 용도대로 활용되지 못함

3. 예후

: 기복 없이 만성적인 경과가 흔하며, 연령이 높아지면서 증상이 심해지는 경향

4. 치료

: 인지행동치료를 일차적으로 하며, SSRI나 SNRI 등이 일차적 치료약물.

❸ 발모장애(모발뽑기장애, 발모광, trichotillomania, hair-pulling)

1. 개요
   1) 반복적으로 모발/체모를 과도하게 잡아 뽑음
   2) 털을 뽑기 전에 긴장 증가, 뽑은 뒤 감소
   3) 털을 뽑는 행위를 그만하려고 계속 노력함

2. 역학 및 원인
   1) 소아에서 남 = 여, 성인에서 남 < 여 (10배)
   2) 뽑은 털을 삼키는 경우 모발석(trichobezoar), 빈혈, 복통, 토혈, 장폐색, 장 천공 등 발생
   3) 일차친족에서 더 자주 발견되며, 쌍생아 연구에서는 유전적 요인이 32~76%
   4) 강박장애와 마찬가지로 전두-선조 신경회로의 이상과 인지적 억제 등의 집행 기능이상이 관여

3. 임상양상
   1) 반복적으로 자신의 털을 뽑아서 털이 없게 되는데, 의도적이기도 하며, 무의식적으로 행하기도 함.
   2) 털 뽑기를 중단하거나 덜 뽑으려고 노력함
   3) 발모행동 전에는 불안, 지루함, 긴장감이, 후에는 쾌감, 안도감 등의 정서적 반응이 동반될 수 있음

4. 감별진단
   : 피부과 질환에 의한 탈모, 신체이형장애

5. 예후
   : 일찍 발병 시 예후 좋음, 늦게 발병 시 만성화/지속

6. 치료
   1) 인지행동치료: habit reversal 등
   2) 약물치료: SSRI, 비정형 항정신병약물, naltrexone 등

피부벗기기 장애(피부박탈장애, excoriation, skin-picking)

1. 개요
   1) 반복적, 강박적으로 피부를 과도하게 잡아 뜯음
   2) 피부를 뜯기 전에 긴장 증가, 뜯은 뒤 감소

3) 피부를 뜯는 행위를 그만하려고 계속 노력함

2. 임상양상

1) 가장 흔하게 나타나는 부위: 얼굴, 팔, 손(다른 부위나, 동시에 여러 부위에서도 나타날 수 있음)
2) 피부를 잡아 뜯으면서 스트레스 해소/긴장 완화 등 행동 전후의 정서적 반응 동반 가능
3) 특정 딱지를 떼어내거나 피부 조각을 조사하거나 삼키는 등의 다른 의례적 행위를 동반하기도 함

3. 감별진단

1) 피부병변이나 경한 피부 손상 부위에서 미용상 이유로 뜯는 행위 – 정상적인 행동
2) 강박관련장애 중 강박장애, 신체이형장애
3) 망상이나 환촉에서 비롯된 정신병적 장애
4) 상동성 운동장애
5) 자해 목적의 피부 뜯기
6) 코카인 사용

4. 예후

1) 피부과적 합병증이 생기기 전까지 치료를 찾지 않는 경우가 많음
2) 경과는 다양하나, 일반적으로 치료를 받지 않으면 증상의 심각도가 변하면서 만성적 경과
3) 해당 부위 염증으로 38%는 의학적 처치를 필요로 하며, 패혈증으로 진행되거나 피부 이식을 하는 경우도 있음

5. 치료

1) 인지행동치료: habit reversal 등
2) 약물치료: SSRI, 일부에서 naltrexone, lamotrigine 효과적

12 CHAPTER 외상 및 스트레스 관련장애

 외상 후 스트레스장애(posttraumatic stress disorder, PTSD)

1. 정의

1) PTSD에서 의미하는 외상에는 사고, 전쟁, 자연재해, 범죄 등으로 인해 생명을 위협받거나, 심한 부상을 당하거나 성폭력에 노출이 해당됨
2) 반복적으로 사건을 회상하고, 회피하려고 하면서, 과도한 각성 상태를 유지하고, 인지나 기분에 있어서 부정적인 변화 등의 다양한 증상들이 1개월 이상 지속(cf. 1개월 이하: 급성 스트레스장애)

2. 원인

1) 위험인자
   ① 어린 시절 외상이 있을 때
   ② 경계성, 편집성, 의존성, 및 반사회성 성격장애의 경향이 있을 때
   ③ 주변 지지체계, 사회보호, 보장제도가 불충분할 때
   ④ 정신질환의 유전적, 기질적 취약성이 있을 때
   ⑤ 최근 스트레스를 받을 만한 생활의 변화가 있을 때
   ⑥ 내적인 것보다는 외적인 조절 상황을 지각했을 때
   ⑦ 최근 심한 음주, 여성
   ⑧ 미혼, 이혼, 사별, 무직 및 저소득층
2) 외상 후 스트레스장애의 원인에 관한 정신역동적 이론
   ① 외상 후 환경적 사회적 지지가 있을 시 병의 발병, 심한 정도, PTSD의 기간에 영향
   ② 아동기 외상으로 인해 생긴 심리적 갈등이 해결되지 못하던 중에 외상으로 인해 재활성화
   ③ 방어기제로는 억압, 부정, 반도형성, 취소를 주로 사용
3) 생물학적 이론: ★일부 HPA axis 및 노르아드레날린과 아편양계 등의 과활동과 연관

3. 임상양상

1) 4가지로 분류되는 대표적인 증상들

① 침습 증상에 의해서 반복적으로 재경험(reexperience)

② 사고와 관련된 자극을 회피

③ 사고와 관련된 인지나 기분의 부정적인 변화

④ 과도한 각성 관련 증상

2) 실제 외상 사건에 노출된 정도와 기간, 노출의 근접한 정도가 발생의 주요 요인이 됨.

4. 진단: DSM-5 진단기준

A. 외상성 사건(죽음, 심각한 부상, 성폭행 등)에 실제로 노출되거나 위협을 받음
(1) 자신이 직접 외상적 사건(들)을 경험
(2) 타인에게 발생한 사건(들)을 목격
(3) 자신과 가까운 가족 또는 친구에게 외상적 사건(들)이 발생했다는 것을 알게 됨 사건은 폭력적 또는 사고에 의한 것이어야 한다.
(4) 외상적 사건(들)의 혐오적인 부분에 반복적으로 또는 극단적으로 노출(예: 첫 번째로 신체적 잔유물을 모으는 사람; 아동학대의 구체적인 부분에 반복적으로 노출된 경찰관)
주의: 전자미디어, TV, 영화, 사진을 통한 것에는 적용되지 않는다.
B. 재경험(침습적 증상): 1가지 이상
(1) 사건에 대한 반복적이고 집요하게 떠오르는 고통스러운 기억
주의: 6세 초과 소아의 경우, 사건의 주제와 관련한 놀이를 반복적으로 할 수 있다.
(2) 사건에 대한 반복적인 악몽(소아에서는 내용과 상관없이 악몽이면 됨)
(3) 경험이 되살아나는 flashback(소아는 놀이에서 외상-특정적인 재현 나타날 수 있음)
(4) 연관된 자극 경험 시 괴로워함
(5) 연관된 자극 경험 시 생리적 반응
C. 회피: 1가지 이상
(1) 관련된 생각, 느낌, 대화 회피
(2) 관련된 활동, 장소, 사람 회피
D. 인지나 감정의 부정적인 변화: 2가지 이상
(1) 외상 경험에 대한 망각
(2) 자기 자신, 다른 사람들, 세계에 대한 지속적이며 악화되는 부정적인 믿음 또는 기대
(예: 나는 나쁘다, 아무도 믿을 수 없다, 세계는 정말로 위험하다.)
(3) 자신이나 다른 사람을 비난하도록 하는 외상적 사건의 원인 또는 결과에 대해 지속적이고 왜곡된 인지(생각)
(4) 지속적이고 부정적인 감정적 상태(예: 두려움, 공포, 화, 죄책감, 부끄러움)
(5) 중요한 활동에 대해 현저하게 감소된 흥미 또는 참여
(6) 타인에 대해 무심함
(7) 지속적으로 긍정적인 감정에 대해 경험하지 못함(예: 행복, 만족, 사랑의 느낌)
E. 과각성: 2가지 이상
(1) 자극에 과민한 행동과 분노의 폭발
(2) 난폭하거나 자기 파괴적인 행동
(3) 지나친 경계
(4) 놀라는 반응이 악화됨
(5) 집중장애
(6) 수면장애(예: 잠이 들거나 잠든 상태로 유지하는 것이 어렵거나 불안한 수면)
F. 진단기준 B, C, D, E 의 기간이 1개월 이상
G. 임상적으로 심각한 고통이나 사회적, 직업적, 다른 중요한 기능 영역에서 장애를 초래
H. 물질(예: 약, 술)로 인하거나 다른 의학적 상태에 의한 생리적 효과로 인한 것이 아님

1) delayed onset PTSD → 외상 후 6개월 뒤에 장애가 생기는 것

2) PTSD 진단에 고려할 점

① 환자가 외상 동안 두부손상을 입었을 가능성

② 증상이 알코올이나 약물의존에 의해 악화될 수 있다는 점

5. 감별질환

※ 외상 후 스트레스장애와 감별을 요하는 정신질환

① 인위성장애	② 꾀병	③ 적응장애
④ 경계성 성격장애	⑤ 조현병	⑥ 우울증
⑦ 공황장애	⑧ 범불안장애	⑨ 보상성 신경증

6. 경과

1) 사건 발생 1주~30년 사이에 증상이 나타날 수 있다.

2) 증상은 시간에 따라 유동적이나 스트레스가 있을 때 악화

3) 임상경과

① 1단계: 외상에 대한 반응과 관련

소인이 있는 경우 높은 수준의 불안, 외상에 과대한 반응, 외상이 있을 것이라 강박적 집착

② 2단계: 증상이 4~6주 지속 시

절망감, 조절불능, 자율신경계의 증가된 각성, 외상의 회상, 신체증상, 생활방식과 인격, 사회기능에 이은 변화, 공포적 회피, 경악반응, 분노, 폭발

③ 3단계: 무기력, 타락, 의기소침을 동반한 만성적 장애

외상에 대한 집착 → 육체적 무능에 대한 집착으로 변화

약물남용, 가족관계의 장애, 실업, 신체증상, 만성적 불안, 우울

7. 치료

1) 외상 후 스트레스장애의 일반적인 치료원칙

① 의료진의 지지적인 태도, 그 사건을 말할 수 있도록 격려

② 조기 발견, 조기 치료 ∵ 조기 조치가 없으면 만성화 가능성 증대

③ 치료 후 빨리 이전의 업무로 복귀

④ 휴식, 영양 공급, 안심시키는 것이 중요

⑤ 암시, 환기 요법도 도움

⑥ 이차 이득 최소화하고 질병이나 장애에 대한 심각하다는 어떠한 암시도 금기

⑦ 다양한 대처전략을 갖출 수 있도록 교육

⑧ 어떤 신체적 합병증이 있을 때 그 치료가 지연되지 않도록 해야 함

2) 약물치료

① 1차 선택약물: **SSRI**

② 기타 항우울제: SNRI, TCA 등

③ 기타: β--blocker 등

④ 항정신병약물: 환자가 심한 격정을 보이면 단기적으로 소량의 사용

3) 심리사회적 치료: 외상 후 단기간 시행

인지행동치료(노출치료, 인지처리치료), 최면, 정신역동적 정신치료 등

4) 안구운동 탈민감 재처리(eye movement desensitization and reprocessing, EMDR): 괴로운 기억(장면)을 회상하는 동안 양 눈을 좌우로 움직이는 것.

8. 예후

※ 좋은 예후

① 증상이 급작스런 발현

② 증상이 6개월 이하로 짧은 경우

③ 병전 적응이 좋은 사람

④ 강한 사회적 지지가 있을 때

⑤ 다른 정신과적 내과적 문제가 없을 때

급성 스트레스장애(acute stress disorder)

1. 정의

: 극심한 외상에 노출된 후 3일 이상 1개월 이내에 PTSD의 일부 증상들이 나타나는 것

2. 임상양상

1) 원인이 되는 외상은 외상 후 스트레스장애의 기준에 해당하는 외상적 사건들

2) 외상적 사건을 경험하는 도중이거나 이후에 해리증상을 경험하는 특징

3) 외상적 사건의 침습 증상, 부정적인 기분, 해리 증상, 외상을 회상케 하는 자극의 회피, 현저한 불안이나 증가된 각성 반응 등의 증상은 외상 후 스트레스장애의 증상과 유사

4) 증상은 최소 3일 이상 지속되어야 하며 1개월을 넘지 않아야 함.

3. 진단

: PTSD의 진단기준을 만족하나 덜 엄격(하나의 증상만 있어도 진단)하고 기간이 4주 미만

1) PTSD의 A항 증상, 침습증상(PTSD의 B의 1~4 증상), 부정적 기분, 해리증상, 회피증상, 각성증

상 등이 나타난다.

2) 장애의 기간이 외상 노출 후 3일~1달 이내★

3) 장애가 임상적으로 심각한 고통이나 사회적, 직업적, 기타 중요한 기능 영역에 장애를 야기시킨다.

4) 물질(약물, 알코올)이나 일반적인 의학적 상태의 직접적인 생리적 효과(경미한 외상성 뇌손상)로 인한 것이 아니며, 단기 정신병적 장애로 더 잘 설명되지 않아야 한다.

적응장애

1. 역학

1) 내외과적인 문제로 입원한 환자들에게 매우 흔한 정신장애(암 환자의 가장 흔한 정신과 진단)★

2) 전체 정신과 환자 중 대략 10%

3) 남:여 = 1:2 (특히 미혼 여성)

4) 청소년기에 가장 많이 흔하고, 아동 및 청소년기에는 성별에 따른 유병률 차이는 없음

2. 원인

1) 하나 또는 여러 가지 개인적 또는 사회적 스트레스에 의해 발병

2) 예시: 개인적 스트레스(건강, 금전, 결혼, 거주 환경 등), 사회적 스트레스(자연재앙, 전쟁 등)

3. 임상양상

1) 성인: 우울, 불안, 사회적, 직업적 기능장애

2) 아동, 노인: 신체증상(두통, 요통), 학업(직업)장애, 비행 행동 등

4. 진단: 적응장애의 DSM-5 진단기준

A. 정서적 또는 행동적 증상이 확인 가능한 스트레스(들)에 대한 반응으로 발생되며, 스트레스(들)가 시작된 후 3개월 이내에 나타난다.

B. 증상

(1) 통상적으로 기대되는 정도보다 훨씬 심각한 고통

(2) 사회적, 직업적, 다른 중요 기능 영역에서 심각한 장애

C. 스트레스와 관련된 장애가 다른 정신장애 진단기준을 만족하지 않아야 하며 이전에 존재하던 정신장애의 악화 소견이 아니어야 한다.

D. 증상이 정상 애도 반응으로 나타나는 것이 아니다.

E. 스트레스(또는 그 결과)가 종결되면 증상은 종결 후 6개월 이상 지속되지 않는다.

특정형: 우울기분 동반형, 불안 동반형, 혼합성 불안우울기분 동반형, 품행장애 동반형, 감정 및 행실 혼합장애 동반형, 비특정형

5. 치료

1) 정신치료: 단기 정신치료, 인지치료, 집단치료 등
2) 위기개입(crisis intervention): 단기치료로서 지지, 암시, 재확인, 환경변화, 단기입원 등을 통해서 스트레스 상황을 해결하도록 도와줌. 융통적인 접근이 필요
3) 약물요법: 항우울제, 항불안제 등 환자의 주된 증상에 기초하여 처방

	외상 후 스트레스장애(PTSD)	급성 스트레스장애	적응장애
선행요인	**생명에 위협이 되는 극심한 외상경험**		**모든 심리사회학적 스트레스**
임상양상	재경험, 회피 및 인지, 기분의 변화, 과각성 등		고통에 따른 정서적, 행동적 증상
기간	**1개월 이상** 지속	**3일~1개월**	**스트레스 시작 3개월 이내 발병** **스트레스 종결 6개월 이내 소실**

반응성 애착장애(reactive attachment disorder)

1. 임상양상

1) 사회적 방임의 불충분한 양육환경으로 인해 사회적 유대관계 형성 능력의 결여
2) 기질적 원인 없이 신체 성장의 실패: 활기 없음, 작은 키, 저체중, 불량한 청결상태, 멍함
3) 아동과 양육자 사이에 애착이 거의 없고, 주변 사람이나 환경에 무관심하며 장난감에도 관심 없음

2. 치료

1) 아동이 안전하게 양육 받을 수 있는 환경 제공
2) 신체질환 및 영양 상태에 대한 평가 및 치료
3) 양육환경의 조성을 위한 양육방식의 개선 교육

탈억제성 사회적 유대감 장애(disinhibited social engagement disorder)

1. 임상양상

1) 불충분한 양육환경(사회적 방임)으로 인해서 비선택적인 사회 친화적 행동
2) **낯선 사람에게 지나치고 무분별하게 친밀한 행동을 보이고, 관심을 요구**
3) 반응성 애착장애와 같이 애착형성의 장애에서 비롯되나, 표현형은 반대

2. 치료

1) 반응성 애착장애와 동일하게 아동이 안전하게 양육 받을 수 있는 환경 제공
2) 양육환경의 조성을 위한 양육방식의 개선 교육

해리장애

해리성 기억상실(dissociative amnesia)

1. 정의

1) 이미 기억에 저장되어 있는 개인에게 중요한 정보를 갑자기 재생시키지 못하는 장애. 어떤 특정한 사건과 관련되어 심적 자극을 준 부분을 선택적으로, 혹은 사건 전체를 기억 못 하는 경우도 있고, 때로는 지속적인 과거 생활을 포함한 전생에나 그 중 일정 기간에 대한 기억상실을 보이기도 함.

2) 일종의 기억 회상(recall)의 장애로, 새로운 정보를 학습하는 능력은 남아 있음.

3) 단순한 건망증이 아니며 물질이나 뇌기능장애 때문이 아님.

2. 역학

1) 해리장애 중 가장 흔함

2) 남녀 발생률 차이는 거의 없음

3) 20~40대에 호발

3. 진단

1) 이미 성공적으로 기억 속에 저장되었을, 그리고 정상적으로는 쉽게 기억할 수 있는, 중요한 자전적 정보를 회상(recall)하지 못하는 것

2) 기억이 성공적으로 저장되었으므로 항상 다시 기억해낼 수 있는 잠재력이 있다.

3) 대개 스트레스가 심하였거나 상처가 컸던 사건에 대한 기억 등이 retrograde로 망각(사건 이전까지 잊음)
4) 새로운 정보를 학습하는 능력은 남아 있음.
5) 국소적 기억상실(가장 많음), 전반적 기억상실, 선택적 기억상실 모두 일어날 수 있다.
6) 갑자기 발생, 일시적으로 지속되었다가 갑작스럽게 회복되는 경향

4. 감별진단

1) 기질적 정신 상태
   ① 지속적 의식혼탁, 지남력장애, 인지기능장애, 충격적 사건과 무관
   ② 두부손상에 의한 기억상실: 후행성, 1주 이내, 신경학적 검사 시 이상소견
2) 기타 정신 상태
   ① 약물남용: 남용시기와 일치, 기억회복은 없음
   ② 치매: 단기기억상실
   ③ 꾀병
3) 일시적, 전반적 기억상실 transient global amnesia (TGA)
   ① 급성 발병
   ② 후향성 기억상실로서 대개 최근 기억에 장애
   ③전반적으로 기억상실이 있으나 정체성은 유지되고
   ④ 기억상실에 대해 속상해하며 자신의 증상에 관심이 많은 편임.
   ⑤ 흔히 변연계 등의 일시적 허혈발작(transient ischemic attack, TIA)과 관련 (노인 호발)
   ⑥ 결국 기억을 완전히 회복(24시간 지속하지 않고 기억이 점진적으로 회복)
4) 뇌진탕 후 기억상실(postconcussion amnesia)은 대개 전향(anterograde) 기억상실을 보임.

5. 경과 및 예후

: 급성 발병 시에는 유발된 환경에서 벗어나면서 자연스럽게 회복하기도 함. 잃어버린 기억을 빨리 의식 수준으로 회복하는 것이 더 나은 예후를 보임.

6. 치료

: 우선 상실된 기억을 회복시키는 것이 중요
1) 약물치료: 작용기간이 짧은 barbiturate 정맥주사 또는 BDZ를 응급조치로 사용 가능
2) 최면술도 도움이 된다. split screen technique: 최면을 통해 외상적 경험을 다시 하라고 암시하고 이를 영화나 TV 화면을 보듯이 관찰하라는 지시를 주는 것
3) 기억 회복시킨 후 관련된 감정문제를 해결하기 위해 정신치료를 시행

해리성 둔주(dissociative fugue)

: DSM-5에서는 해리성 기억상실 진단의 명시자(specifier)로 포함됨.

1. 정의 및 특징

1) 자신의 과거나 이름, 자기 신분이나 직업 등 정체성에 대한 기억을 상실하여, 가정 및 직장을 떠나 방황하거나 예정에 없는 여행을 하게 되는 장애이다.
2) 개인적 신분에 대한 혼란, 혹은 새로운 신분을 가짐(부분적 혹은 전체적: episode 동안은 전혀 다른 identity를 가진다) → episode가 끝나면 episode 동안 일어났던 일에 대한 기억이 없다.
3) episode동안 자신이 누구인지 모르고 기억상실 있었음을 모른다(해리성 기억상실과의 차이점).
4) 새로운 이름, 주소, 직장 등 신분을 만들어 가질 수 있다.

2. 임상양상

1) 자기가 누구인지 모르고 방황. 자신이 기억상실이 있다는 사실도 모름(심인성 기억상실과 다른 점)
2) 자신의 과거를 모르고 가정이나 직장을 갑자기 떠나 예정 없는 방황을 하게 되며 부분적이거나 전반적인 정체성의 변화가 왔을 때 진단을 내린다.

3. 경과 및 예후

1) 대개 단기간, 수 시간~수 일, 수 개월 가는 수도 있다.
2) 회복은 자발적이고 빠르며 재발이 드물다.
3) 치료는 지지적으로 돌보는 것 외에는 특별한 치료법이 없다.
   표현적-지지적 정신역동적 치료: 과거의 고통스러운 경험에 대해 제반응(abreaction)하게 하고, 자아에 통합하여 다시 분리되지 않도록 돕는다.

해리성 정체성 장애(dissociative identity disorder)

1. 정의 및 특징

1) 두 가지 이상의 별개의 성격이 존재
2) 한 사람이 최소 둘 이상의 전혀 새로운 인격을 갖고 있으며, 한 번에 한 인격이 그 사람의 행동을 지배
3) 변화된 인격에서 원래 인격으로 돌아갔을 때 그동안 생긴 일을 기억하지 못함.
   예) 평소에 윤리도덕관 때문에 억압시켰던 행위가 다른 인격으로 바뀌었을 때 그 행위를 저지르

고 다시 인격이 제자리로 돌아오면 자신이 했던 행위를 기억 못 한다.

2. 경과 및 예후

: 동반 기질적 정신질환, 정신병적 장애, 심한 내과적 질환, 물질남용, 식이 장애 등이 있거나, 반사회적 성향, 범죄나 학대를 일으키는 상태, 피해를 당하는 상태, 학대 관계에서 벗어나지 못하는 상황 등에서 예후가 좋지 않음.

3. 치료

1) 정신치료의 목표는 마음의 조각난 상태들을 다시 통합시키는 것이고, 핵심은 해리된 기억을 회상해내고 그에 관련된 감정을 처리하는 것이다.
   환자가 해리상태를 유지하기 위해 치료 자체를 이용할 가능성이 있으므로 치료목표가 모든 해리된 인격의 조각을 드러내는 것임을 명확히 해야 할 필요가 있다.
2) 인지행동치료의 경우 그 핵심은 증상을 경감시킨 후 인격과 자아의 조각난 상태들을 하나로 통합시켜 나간다.
3) 궁극적으로는 통찰정신치료가 필요하다. 약물치료는 특별히 증명된 바가 없다.

이인성/비현실감 장애(depersonalization/derealization disorder)

1. 정의 및 특성

이는 자기 자신이 변화했다고 느끼거나 외부 세계가 달라졌다는 비현실감을 호소하는 등 지속적이고 반복적인 지각의 변화로서 현실감이 일시적으로 상실되는 장애

1) 환자는 이 증상에 ego-dystonic하여 고통을 느낄 수 있다.
2) 현실 검증 능력은 정상적이다.

2. 역학

: 일시적인 이인증과 비현실감은 정상인에서도 흔히 나타날 수 있으나, 질환 수준은 드문 편임. 주로 후기 청소년기 또는 초기 성인기에 나타나므로, 40세 이상에서 나타날 경우에는 기질적 원인 평가가 필요

3. 진단

이인성장애/비현실감장애의 DSM-5 진단기준
A. 지속적 또는 재발성 이인증, 비현실감 또는 양쪽 모두를 경험한다. (1) 이인증: 비현실감, 분리감 또는 자신의 생각, 느낌, 감각, 신체 또는 행동들에 대해 외부관찰자라는 경험(예: 지각적 변화, 왜곡된 시간 감각, 비현실적 또는 존재하지 않는 자아, 감정적/신체적 무감각) (2) 비현실감: 환경에 관련하여 비현실적인 느낌 또는 분리감(예: 개인들이나 대상들이 비현실적이고 꿈과 같고, 희미하고, 생명이 없고 또는 시각적으로 왜곡된 것으로 경험됨) B. 이인증 또는 비현실감을 경험하는 동안 현실검정은 정상적이다. C. 임상적으로 심각한 고통 또는 사회적, 직업적, 또는 기타 기능의 중요 영역들에서 장애를 야기한다. D. 물질(예: 약물남용, 투약)의 생리적 효과 또는 기타 의학적 상태(예: 측두엽 간질) 때문이 아니다. E. 조현병, 공황장애, 급성 스트레스장애, 외상후스트레스장애 또는 다른 해리성 장애 같은 다른 정신장애로 더 잘 설명되지 않는다.

Ganser 증후군

1. 증상

① 근접답변(approximate answer): 질문의 의미는 알지만, 정답과 유사한 오답으로 답변함
예) 4 ×5는 21이다. → 가장 많은 발병은 남자, 교도소 안

② 지남력 장애, 기억상실, 개인정보의 상실, 일부 현실검증능력 저하 등의 의식 혼탁이 동반

③ 때로는 환각, 신체증상, 전환장애, 다른 해리증상 등이 동반될 수 있음.

2. 치료

입원하여 보호받고 지지받는 환경을 제공하고, 스트레스들에 대해 의논.

14 CHAPTER 신체증상 및 관련장애

신체증상장애(somatic symptom disorder)

1. 개념

신체증상에 대한 오인으로, 증상의 심각성에 대한 과도한 생각과 불안, 시간과 에너지 소비 등으로 일상생활에 어려움이 발생하는 상태. 의학적으로 설명되지 않아야 한다는 이전의 진단기준을 없애고, 신체증상 자체의 호소로 인한 기능저하가 있을 때를 통칭하여 신체증상장애로 진단

2. 역학

1) 여성에서 더 흔하고, 20~30대에서 가장 흔하게 시작
2) 저학력, 낮은 사회경제적 수준, 최근의 생활 스트레스를 경험한 사람에서 흔함

3. 임상양상

1) 신체화장애 환자들은 많은 신체증상을 보이며 장기간 복잡한 병력이 있음
2) 신경계 증상, 위장관 증상, 심폐기능이상, 여성 생식계 기능장애 등이 주로 나타남
3) 신체증상에 대한 역치가 낮아서 쉽게 불편감이나 통증을 느낌
4) 의존적이고 자기중심적이며 칭찬과 인정받기를 갈망하며 대인관계에서 조작적 경향
5) 흔히 hospital shopping을 하며, 시간과 에너지를 지나치게 소비함
6) 호전과 악화를 반복하며 만성경과, 약물중독에 빠질 위험도 높음

☞ 여러 장기에 관련된 다양한 신체증상, 뚜렷한 기질적 원인은 없음. 의도적으로 아픈 척을 하는 것은 아님

4. 진단

신체증상장애(somatic symptom disorder)의 DSM-5 진단기준
A. 하나 이상의 신체증상을 호소하며 이 증상으로 인해 고통스러우며 일상생활에서 심각한 와해가 있다. B. 신체증상 또는 관련 건강문제와 연결된 지나친 생각, 느낌, 행동이 다음 중 한가지로 나타난다. (1) 증상이 심한 정도와 관련된 생각이 불균형적이고 지속적이다. (2) 건강과 증상에 관한 불안이 지속적으로 높다. (3) 이들 증상들과 건강염려증에 바친 시간과 에너지가 과도하다. C. 어느 한 신체증상이 지속적으로 있지 않더라도, 증상 상태는 지속적이다(전형적으로 6개월 이상). 특정형 통증이 우세한 경우: 신체증상이 주로 통증인 경우(과거의 통증장애에 해당) 지속형: 지속적 경과가 심한 신체증상, 현저한 기능저하, 그리고 장기간(6개월 이상) 등이 특징적이다. 경도: B 하나만 / 중등도: B 2개 이상 / 고도: B 2개 이상 + 여러 개(또는 하나의 심한) 신체증상 호소

5. 치료

1) 치료원칙

① 지지적이고 공감적인 태도로, 치료동맹을 확고하게 형성

② 신체증상의 의미와 맥락에 대해 교육하고, 일관되게 안심시키기.

③ 초기에는 철저한 검사 필요, 불필요한 약물치료나 검사를 반복 요구할 때는 들어주면 안 됨

④ 의사 한 사람이 일관성 있게 치료를 전담하는 것이 바람직

2) 약물치료: 우울이나 불안 증상 동반시 항불안제, 항우울제

3) 인지행동치료, 정신치료, 집단치료 등

질병불안장애(illness anxiety disorder)

: 과거 건강염려증(hypochondriasis) 진단 중에서 신체증상이 없거나 약한 수준임에도 자신이 아프고 질환이 있을 것이라고 생각하며 불안하고, 비합리적인 행동을 하는 양상을 DSM-5에서 질병불안장애로 분류함.

1. 개념

1) 자신이 심각한 질병에 걸려있다고 생각하거나, 그 가능성과 연관된 불안과 집착이 나타남.

2) 신체증상 그 자체보다는 하나 또는 그 이상의 심각한 신체질환을 갖고 있다는 생각에 집착하거나 두려움에 빠져 있는 것 예) 대장게실이 있는데 암에 걸렸다고 생각

2. 역학

주로 자신이 특정 신체 기관에 질병이 있다고 주장, 나름대로 의학적 용어를 사용하고 타당성을 주장

1) 모든 연령에서 발병하나 노인층에서 더 흔하고, 남녀 빈도는 비슷
2) 결혼 상태, 사회경제적 계층이나 교육 수준 등과는 상관이 없다.
3) 일반의나 내과도 많이 찾아간다.
   ① 환자의 믿음의 강도가 망상적이지 않고, 외모에만 국한된 것은 아니다.
   ② sick role을 함으로써 책임과 의무의 도피구 역할

3. 원인

1) 현실적으로 감당하기 어려운 상황에서 환자 역할을 함으로써 회피하려는 노력이 하나의 원인
2) 무의식적인 공격성 또는 증오가 질병에 대한 공포로 전환
3) 낮은 자존감, 지나친 자기염려, 죄책감에 대한 방어의 일환
4) 소아기 학대나 어린 시절 심한 병을 앓거나 부상당한 경험, 부모의 과잉보호 등
5) 건강에 대한 위험을 경험하면서 시작되기도 하며, 부모나 가까운 친척이 병으로 사망 시 영향

4. 임상양상

1) 환자들은 심각한 질병이 있는데 아직 발견이 안 된 것으로 믿으며 검사 결과가 정상이거나 benign course를 보인다든지 의사가 괜찮다고 해도 계속됨.
2) 상상할 수 있는 증세를 나름대로 의학적 용어를 사용하며 설명
3) 환자는 건강전문가에 의해 강화되는 경우 만성화됨.
4) 배우자 사망이나 중병: 일시적 양상가능

5. 진단

1) 여러 가지 질환에 대한 증상을 호소하지만 검사결과 확인된 신체질환은 존재하지 않거나, 있다고 하더라도 그 정도에 비해서 그 병에 대해서 지나치거나 부적절하게 몰두함
2) 증상이 나타나는 기간은 적어도 6개월 이상

질병불안장애(illness anxiety disorder)의 DSM-5 진단기준

A. 심각한 질병을 가졌거나 얻었다는 집착
B. 신체증상이 존재하지 않거나 존재하더라도 매우 미약하게 존재한다. 다른 의학적 문제가 존재하거나 고위험군(가령, 높은 가족력 위험성)이더라도 집착이 명백하거나 지나치거나 부적절하다.
C. 건강에 관한 지나친 불안감이 잇고, 자신의 건강상태에 관련하여 지나치게 예민하다.
D. 집착으로 인해 과다한 건강관련 행동(예: 질병 징후를 찾기 위해 반복적인 신체검사)이나 비적응적인 회피행동(예: 진료약속과 병원을 피함)을 보인다.
E. 집착기간은 적어도 6개월이나, 두려워하는 질병은 그 기간 너머로 변화될 수 있다.
F. 질병-관련 집착은 신체증상장애, 공황장애, 범불안장애, 신체이형장애, 강박장애, 신체형 망상장애 등 다른 정신장애로 더 잘 설명되지 않는다.

특정형
치료 추구형: 잦은 병원 방문이나 검사를 자주 시행하는 경우
치료 회피형: 병원 방문이나 검사를 드물게 하는 경우

6. 경과 및 예후

1) 임상 경과는 대개 삽화적이다. 환자의 약 30~50%는 호전

2) 좋은 예후

① 사회경제적 수준이 높을 때

② 치료효과가 있는 우울과 불안이 있을 때

③ 갑작스러운 발병

④ 성격장애가 없을 때

⑤ 다른 신체질환이 없을 때

7. 치료

1) 건강염려 증세는 치료가 잘 되지 않으나, 다른 동반된 증상들(즉, 우울이나 불안, 관련된 신체증상들)은 정신치료나 약물치료에 효과가 있다.

2) 확실한 근거 없이 진단절차나 의학적 치료를 시도하는 것은 신중해야 한다.

3) 치료: 항불안제, 항우울제, 재교육적 지지치료

4) 정기적 진료는 하되, 증상에 대한 평가나 검사보단, 점차 사회적, 대인관계 어려움을 다룰 것

전환장애(conversion disorder)

1. 정의

: 전환이란 정신적 갈등이 원인이 되어서, 정신적인 에너지가 신체증상으로 변환된 것을 의미. 신경계 증상, 즉 감각기관(예: 실명, 감각상실)이나 수의운동기관(예: 팔, 다리 마비)의 증상이 생기며, 이 증상은 의학적으로나 병리생리적으로 설명되지 않음. 환자는 스스로 증상을 조절할 수 없고, 의도적으로 만들어내는 것이 아님

2. 역학

1) 여자에 2~10배 많으며, 주로 사춘기나 성인 초기에 발병

2) 낮은 사회적 계층, 농촌 지역 거주자, 저학력자, 낮은 지능, 전쟁 상황에 놓인 군인, 형무소의 죄수 등이 호발군

3. 원인

1) 생물학적 가설 – 중추신경계 장애

① 대뇌피질과 망상체 사이의 정보 교류의 피드백 이상 – 감각과 운동에 대한 정보 차단

② 우세반구의 대사 저하, 비우세반구의 대사 증가 및 양 반구 간 정보 소통 장애

③ 지나친 대뇌피질의 각성

2) 심리적 가설

① 심리적 동기

- 일차 이득: 극적인 증상자체로 자신이 내적 갈등을 깨달을 필요가 없고 내적 긴장을 푸는 것 (불안해소)
- 이차 이득: 극적 증상으로 불쾌한 상황을 피할 수 있고 주위 사람의 관심을 끌어 환자의 의존적 욕구를 만족

② Freud의 정신분석적 요인

- 본능적(성적, 공격적) 충동과 그 표현을 억압하고자 하는 갈등이 원인
- 억압된 욕구가 신체증상으로 전환되어서 상징적으로 표현
- 특징적 방어기제: 전환, 투사, 동일시, 억압

4. 임상증상

: 마비, 감각 이상, 시력 상실, 난청, 함구증: 가장 흔한 증상들

1) 감각계 증상: 지각마비(장갑형 마비), 지각이상: 증상이 해부학적 및 신경학적 부위와 일치하지 않고, 마비에도 불구하고 건반사, 근전도 검사 정상
2) 운동계 증상: 보행장애, 마비, 쇠약 등: 관심 받으면 증상이 심해짐
3) 후궁반장(opisthotonus), 가성경련(혀깨물기, 요실금, 외상 등은 없음)
4) 급성기에는 일차 이득과 이차 이득이 뚜렷이 파악되는 수가 많다.
5) **기분 좋은 무관심(La Belle indifference)**: 실제 고통스러운 증상이 있는데도 환자는 그것에 대해 관심을 전혀 안 주는 태도
6) 증상은 무의식과정으로 일어나며, 환자는 그 의미를 모르고 있다.
(증상 자체를 환자가 스스로 조절할 수 없으며 의도적으로 만든 것은 아님)
7) 주변의 관심에 의해 증상은 심해짐

5. 진단: 전환장애의 DSM-5 진단기준

A. 변화된 수의운동 또는 감각기능 한 가지 혹은 그 이상의 증상
B. 임상소견은 증상과 파악되는 신경학적 또는 의학적 상태 사이에 불일치의 증거를 보인다.
C. 증상이나 결함은 다른 일반적 의학적 장애 또는 정신장애로 더 잘 설명되지 않는다.
D. 증상이나 결함은 사회적, 직업적, 기타 기능의 중요한 영역에서 임상적으로 유의한 고통이나 손상을 일으키거나, 의학적 검사를 필요로 한다.

특정형
(증상 유형): 쇠약감 혹은 마비 동반형, 이상 운동 동반형(예: 진전, 근육긴장이상, 간대성 근경련증, 보행이상), 삼킴 증상 동반형, 언어증상 동반형(예: 발음곤란, 언어정체), 발작 동반형, 무감각증 혹은 감각 증상 동반형, 특정 감각증상 동반형(예: 시각, 후각 또는 청각 장애), 혼합 증상 동반형
급성 삽화(증상이 6개월 이내) / 지속형(증상이 6개월 이상)
심리적 스트레스요인 동반형(스트레스 요인 명시) / 심리적 스트레스요인 비동반형

6. 경과 및 예후

1) 거의 대부분의 환자는 수 일~1개월 후 초기 증상 소실
2) 결국 신체증상으로 확진되는 경우는 30% - 정기적인 신체검사 필요
   ① 정신과적 장애: 조현병, 우울증, 불안장애, 신체형장애, 사병, 가장성 장애
   ② 신체질환: 중증 근무력증, 다발근염, 후천성 근병증, 다발경화증, 시신경염
3) 예후가 좋은 경우
   ① 갑작스러운 발병
   ② 원인이 되는 유발요인이 있을 때
   ③ 병전 적응이 좋았던 환자
   ④ 정신과적 혹은 신체질환이 공존하지 않았을 때
   ⑤ 진행 중인 법적 문제가 없을 때
4) 만성화되면 예후가 좋지 않으며, 1/4 정도는 스트레스를 받을 경우 재발

7. 치료

1) 우선 환자에 대한 철저한 검사를 하여 신체질환을 감별
2) 불필요하게 같은 검사를 재검사하도록 허용해 주지 말고, 불필요한 투약을 될 수 있는 데로 제한 → 이차 이득의 만족을 차단
3) 치료가 장기화되지 않게 할 것: sick role이 심해지고 환자가 퇴행하기 쉬움(너무 빨리 증상을 호전시킬 경우 불안, 우울증이 생길 수도 있다).
4) 약물치료는 주로 BDZ계통 → 증상 완화가 목적, 불필요하게 장기간 사용하지 말 것
5) 정신치료는 care하는 태도로서 권위를 가진 지지적 정신치료
6) 환기요법(ventilation), 암시요법(suggestion), 행동치료(이완요법)
7) 통찰적 분석 치료: 대상이 제한. 상상에 의한 병이라고 하면 병이 악화.
8) 면담이 어려울 때는 lorazepam 주사를 사용한 약물 이용 면담도 고려

인위성 장애 = 가장성 장애(factitious disorder)

1. 개요

1) 환자가 나타내는 증상은 의도적인 것으로, 일차적인 동기는 단순히 의학적 치료를 받고자 하는 것이며, 이차 이득을 얻기 위함은 아님.
2) 신체장애와 정서장애를 가장함
3) 원인: 무관심한 부모로부터 정서 박탈을 경험하고, 질병을 만들어내어 의료진으로부터 사랑과 보살핌을 받으려는 무의식적인 동기

c.f.) malingering

명백한 현실적 이득이나 목적을 위해 심리적 또는 신체적인 증상을 고의적으로 조작 또는 과장하는 경우

2. 임상양상

1) 질병을 의심할 만한 증상을 호소
2) 질병에 대한 가짜 증거(예, 체온계의 온도를 높이려고 손으로 비빔)
3) 의도적인 병의 증상(예, 인슐린을 맞아서 저혈당 상태를 만듦)

3. 진단

1) 신체질환을 반드시 배제
2) 과거 병력을 수집하고 확인. 병이나 증상이 의학적 사실과 유사한지, 특정 약이나 치료 등을 요구했는지 확인
3) DSM-5에서는 자기 자신의 증상을 꾸미는 경우를 '스스로에게 부여된 인위성장애', 다른 사람의 증상을 만들어내고 상처나 질병을 유도하는 경우를 '타인에게 부여된 인위성장애'로 분류하여 진단

4. 치료 및 예후

1) 추가적인 해로운 시도를 차단하며, 자살 시도의 가능이 있으므로 주의 요망
2) 대부분 예후는 나쁘며, 입원이 반복되면서 직업과 대인관계에 문제가 발생하게 됨

15 CHAPTER 급식 및 섭식 장애

신경성 식욕부진증(Anorexia nervosa)

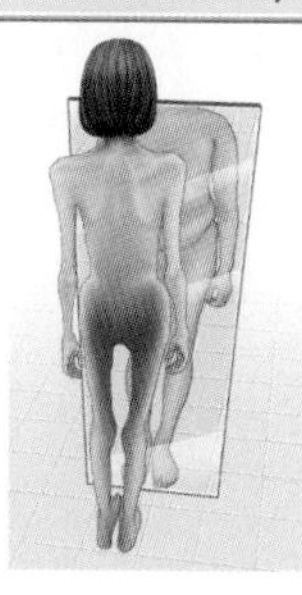

1) 체중을 줄이기 위한 계획적이고 의도적인 행동, 체중감소, 체중과 음식에 대한 몰두, 음식을 다루는 특별한 행동, 체중이 느는 것에 대한 강한 공포, 신체 이미지의 손상 등이 특징
2) 대표적인 양상으로 전체 식사량을 심하게 줄여 체중감소를 하며, 일부는 격렬한 운동
3) 한편 격렬히 다이어트를 하지만 조절을 잃고 규칙적으로 폭식과 제거행동(의도적 구토, 하제 복용 등을. 일부는 소량의 음식을 먹고도 routinely purge하기도 함.
4) 대개 여성에서 훨씬 더 많으며 청소년기와 초기 성인기에 많이 나타남

◆ bulimia 증상은 별개의 질환(bulimia nervosa) 또는 anorexia nervosa 둘 다의 증상일 수 있다.
◆ bulimia nervosa와 anorexia nervosa는 둘 다 체중, 음식, 체형 등에 과도하게 집착

1. 역학

1) 젊은 여성에서 12개월 유병률: 0.9%
2) 청소년기에 가장 흔함
3) 여성에서 많은 질환이고, 10%는 남성

2. 원인

1) 생물학적 요인
  ① 식사행동의 중추: hypothalamus ┌ lateral hypothalamus: feeding center
  └ medial hypothalamus: satiety center

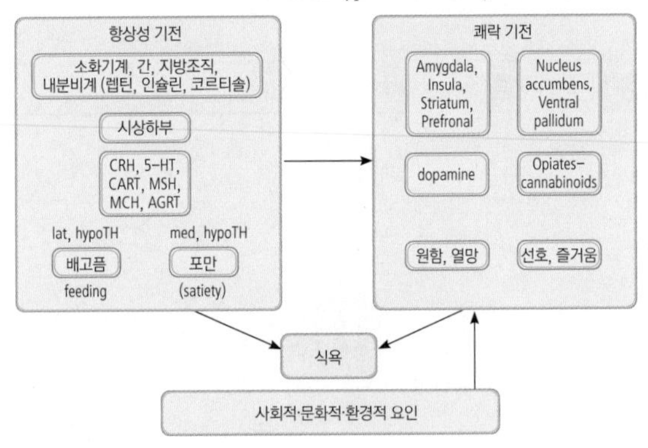

  ② 이란성 쌍생아보다 일란성 쌍생아에서 더 높은 일치율
  ③ 일반 인구에서보다 주요우울장애의 가족력이 많음
  ④ 도파민 저하로 식사를 하고자 하는 동기를 감소시키고, 세로토닌 이상으로 포만감이 조절됨

2) 사회적 요인
  ① 날씬함과 운동을 강조하는 사회 분위기 영향
  ② 환자 자매들 사이에 높게 발병하나, 이는 유전적인 요인보다는 사회적인 원인일 가능성이 높음
  가족 중에 우울증, 알코올의존, 식사장애가 있을 수 있음

3) 심리적 및 역동적 요인
  ① 사춘기에 오는 신체적 변화와 사회적 변화 및 성적충동을 먹는 행위와 관련시켜 동일시하여 음식을 혐오하고 회피

② 양가감정을 가진 어머니를 향한 공격심(→ 공감해주지 않고 강요만 하는 엄마를 자신들의 신체에 내재화되어 있다고 간주하고, 엄마가 내재화되어 있는 신체의 성장을 막고, 이를 파괴하려는 무의식적인 시도)에 대한 죄책감, 구강 임신의 상상, 포근하고 수동적인 아버지와의 의존적이고 유혹적인 관계

③ 인지적 지각적 발달장애로 인한 잘못된 학습

④ 정신분석적 성욕 회피

⑤ 분리-개별화 과정에서의 갈등을 마치지 못한 것

4) 동반질환

① 불안장애: 발병 이전부터 증상이 나타나는 경우가 일반적임

② 양극성장애, 우울증 등도 흔하게 동반되는 정신과 질환

③ 강박장애: 특히 제한형에서 나타남.

④ 알코올 사용 장애 및 다른 물질 사용 장애: 특히 폭식/제거형에서 나타남

3. 임상양상

1) ★체중감소: DSM-5에서는 심각한 정도를 BMI에 따라 나누고 있음
(DSM-IV: 기대 체중의 15% 이상 감소)

① ★무월경(초경이 늦어지기도 함)(DSM-5기준에서 빠짐), 서맥, 저체온, 저혈압, 탈모증, 부종

② 갑상선기능저하, LH, FSH, GnRH↓

③ 기초 대사 감소 → 최종적으로 cachexia, 사망률 5~18%

④ cortisol↑(덱사메타손 억제검사에서 비억제), cholesterol↑, BUN/Cr↑(←탈수), prolactin은 정상

2) 체중을 감소시키려 하는 행동은 대개 비밀스럽게 함

3) 신체 이미지의 장애

4) 살찌는 데 대한 심한 공포

5) 음식에 대해 늘 생각하기도 하고 요리책을 수집한다거나 다른 사람을 위해 요리를 하기도 함.
(식욕상실 자체와는 무관)

6) 때로는 모르게 게걸스럽게 먹고 일부러 토하기도 함
→ 후유증으로 구강, 식도, 장에 염증, 구토가 심하면 저칼륨혈증이 주증상

7) 음식을 집안에 여기저기 감추기도 함

8) 강박행동, 불안, 우울 등의 증상, 주요우울장애 공존률이 높음

9) 캔디, 설사제 등을 훔치기도 함

10) 체중감소에도 불구하고 여전히 활동이 많고 오히려 의도적, 강박적 경향

11) 병전 성격: 완벽, 융통성 없고 강박적, 성적 미숙, 성적 흥미 없음

12) 신체의 크기나 체중을 측정하는 다양한 기술을 습득하고 있어, 지나치게 자주 체중 측정
13) 신체적 합병증
- 무월경, 변비, 복통, 무기력, 과도한 활동, 저혈압, 저체온, 피부건조, 서맥, 탈모증

4. 진단

신경성 식욕부진증(anorexia nervosa)의 진단기준(DSM-5)
A. 연령, 성별, 발달적 궤도에 비추어, 신체적 건강을 위한 최소한의 정상 수준에 미치지 못하는 저체중을 유지 B. 전형적으로 체중증가에 대한 극심한 두려움을 보인다. C. 개인에게서 체중과 체형에 대한 경험과 의미가 손상되어 있다.
특정형 제한형: 지난 3개월 동안 폭식 혹은 제거행동(예: 자발적 구토, 하제남용, 이뇨제, 관장)이 정기적이지 않았던 경우 폭식/제거형: 지난 3개월 동안 폭식 또는 제거행동이 반복적 부분 관해 상태 : 전에는 모든 기준이 충족되었으나, 현재 상당기간 기준 A는 충족되지 않으나, B와 C는 충족되는 경우 완전 관해 상태 : 전에는 모든 기준이 충족되었으나, 현재 상당기간 모든 기준이 충족되지 않는 경우 심각한 정도[체질량지수(BMI, kg/m^2)에 의거함] : 경도 ≥ 17 kg/m^2, 중등도 16~16.99 kg/m^2, 고도 15~15.99 kg/m^2, 극도 〈 15 kg/m^2

1) 제한형(restricting type): 규칙적인 폭식이나 제거행동 (-)
: 음식 선택을 제한하고, 가능한 낮은 칼로리의 음식을 섭취하고 음식에 대하여 강박적 특징
2) 폭식/제거형(binge eating/purging type): 규칙적인 폭식이나 제거행동 (+)
: 충동적으로 과식하고 나중에 토하거나 설사제를 사용하여 설사
신경성 과식욕증과 유사. 약물남용, 성격장애가 동반되기도 한다.

5. 감별진단

1) 우울증: 식욕이 감퇴, 비만에 대한 공포가 없음, 활동이 감소
2) 신체화장애: 체중감소가 심하지 않고 과체중에 대한 공포가 없다.
3) 조현병: 음식에 대한 망상(독이 들었다 등)이 있어 식사하지 않는다.
4) 신경성 폭식증
① 폭식 행동은 폭식/제거형 및 신경성 폭식증에서 나타날 수 있으며, 체중을 확인★하여서 감별함.
② 성욕감퇴가 흔하지 않음.
5) 영양부족
6) 뇌하수체기능저하(특히 Sheehan 증후군)

6. 치료

: 종합적이고 포괄적 치료

1) 입원치료

① 영양실조 개선이 가장 급선무★

② 처음부터 지나치게 식사행동을 바꾸려하지 말고 초기에는 치료적 동맹이 중요

③ 철저한 관찰과 함께, 환자 상태 확인 필요

④ 체중 및 음식은 조금씩 늘여가야 함

2) 정신치료

① 치료에 대한 가족의 지지와 신뢰가 중요

② 행동치료: 성인의 경우 식사에 대한 불안을 감소시켜주는 치료가 효과가 있다.

3) 약물치료: 부가적인 치료요법으로 SSRI 등 사용

7. 경과 및 예후

1) 경과가 다양: 단기적 치료에 반응은 좋으나 대체로 예후는 좋지 않고 2년 내에 완전 회복은 드물다. (사망률: 5~18%)

2) 좋은 예후

① 어릴 때 발병, 배고픈 것 인정, 덜 부인

② 병전 적응이 좋음

③ 극심한 체중감소가 없음

④ 질병에 대한 부정이 적음

3) 나쁜 예후

① 소아기 신경증적 경향

② 부모 간의 갈등

③ 과식욕증, 구토, 설사제 남용

④ poor social adjustment

⑤ longer duration, older age of onset

⑥ previous admission to psychiatric hospitals

⑦ 심한 행동장애: 강박행위, 히스테리, 우울증, 부정 등

신경성 폭식증(Bulimia nervosa)

1. 역학

1) 신경성 식욕부진증보다 더 빈번하며, 젊은 여성의 3~5%, 여자에 많음
2) 후기 청소년기나 초기 성인기에 호발(신경성 식욕부진증보다 나이가 더 많음)
3) 정상 체중의 젊은 여성에 많이 나타나므로 과거에 비만이 있는 경우도 있음
4) 식욕부진증에 비해 상류층에서 많음
5) 반복적인 폭식삽화, 체중증가를 피하기 위한 반복적이고 부적절한 보상행동, 체형과 체중이 자아 평가에 과도한 영향을 끼침

2. 원인

1) 생물학적 요인
 ① 항우울제에 의해 호전: norepinephirine이나 serotonin 관여 가능
 ② 혈청 endorphin ↑
 ③ 정신운동성 간질의 한 변형일 수 있다(phenytoin에 반응하는 경우도 있다.).
2) 심리적 요인(성격 특성)
 ① 외향적이고 화를 잘 내고 충동적. 알코올의존, 자살기도, 훔치는 행동 등 정서불안이 흔히 동반
 ② 충동 자제가 잘 안 되는 성격 특성이 있다.
  ㉠ 어린 시절 부모와 separation에 문제가 있었거나 transitional object가 없었다는 경향이 보고
  ㉡ 음식 투쟁은 어머니와의 이별에 대한 양가감정
 ③ 종종 성적 문란으로 물질의존에 빠지기도 한다.
3) 사회적 요인
 ① 신경성 식욕부진증에서처럼 성취도가 높다.
 ② 가족내 우울증이 많고 자신은 우울 성향이 많다.
 ③ 신경성 식욕부진증보다 가족과 덜 밀접하다. 부모가 무관심

3. 임상증상

1) 다량의 음식을 빨리 먹음(binge eating)
2) 구토 유발 – 손가락으로 구토 유발함으로써 손 등에 상처가 생긴다(Russell's sign).
3) 과식 후 우울(흔히 동반됨), 죄책감 등으로 괴로워함(post-binge anguish)
4) 체중은 정상 범위이나 체중감소를 위한 노력을 한다.

5) 성적으로 적극적이며 무월경도 드물다.

6) 대인관계가 좋지 않고 고립되어 있으며 약물남용과 도벽이 있는 경우가 많다.

7) 합병증: 저칼륨혈증 등 전해질 불균형, 급성 위 확장, 식도외상, 치과질환, 이하선 확대

4. 진단

신경성 폭식증(bulimia nervosa)의 진단기준(DSM-5)
A. 폭식의 반복적인 삽화. 폭식의 삽화는 다음 2가지 특징이 있다. (1) 일정한 시간 동안(예: 2시간 이내) 대부분의 사람들이 유사한 상황에서 동일한 시간 동안 먹는 것보다 분명하게 많은 양의 음식을 먹는다. (2) 삽화 동안 먹는 데 대한 조절 능력의 상실감이 있다(예: 먹는 것을 멈출 수 없으며, 무엇을 또는 얼마나 많이 먹어야 할 것인지를 조절할 수 없다는 느낌). B. 스스로 유도한 구토 또는 하제나 이뇨제, 관장약, 기타 약물의 남용 또는 금식이나 과도한 운동과 같은 체중증가를 억제하기 위한 반복적이고 부적절한 보상행동이 있다. C. 폭식과 부적절한 보상행동 모두 평균적으로 적어도 평균 주 1회 이상, 3개월 동안 일어난다. D. 체형과 체중이 자아평가에 과도한 영향을 미친다. E. 이 장애가 신경성 식욕부진증의 삽화 동안에만 발생되는 것은 아니다.
특정형 부분적 관해 상태: 이전에 신경성 폭식증의 진단기준을 완전히 만족시켰다가 지속되는 기간 동안 일부의 진단기준을 만족해 왔을 때 완전 관해 상태: 이전에 신경성 폭식증의 진단기준을 완전히 만족시켰다가 지속되는 기간 동안 진단기준에 속하는 사항이 없을 때 현재 중등도의 세분화(부적절한 보상행동의 빈도에 따른다. 수준은 기능 장애 정도에 따라 늘어날 수 있다) : 경도(평균 주 1~3회), 중등도(평균 주 4~7회), 고도(평균 주 8~13회), 극도(평균 주 14회 이상)

5. 감별진단

1) 신경성 식욕부진증(anorexia nervosa)★

① 폭식/제거형에서도 폭식을 하나, 신경성 폭식증 환자는 정상 체중 범위임.

② 신경성 폭식증에서는 성적매력이나 성에 대한 관심이 있다.

③ 식욕부전증보다 신체 이미지의 왜곡이 적음.

2) 폭식장애(binge eating disorder)★

: 신경성 폭식증에서는 부적절한 보상행동이 있는데 반해 폭식장애에서는 폭식의 효과를 감소시키려는 부적절한 보상행동(예: 하제 사용, 굶기, 심한 운동)이 규칙적으로 나타나지 않음

6. 치료

1) 정신치료: 특정 행동에 대하여 인지적, 행동적 접근, 면담 시 환자를 비판하거나 나무라지 않음

2) 인지행동치료: 가장 효과적인 방법

3) 약물치료: 항우울제 사용으로 폭식을 조절하는 데에 효과

7. 경과 및 예후

1) 신경성 식욕부전증보다 전반적으로 예후가 좋으나, 만성적 경향
2) 치료받으면 예후가 50% 이상에서 호전
3) 치료받지 않아도 소수에서 1~2년 내 자연치유

	신경성 식욕부진증	신경성 폭식증
호발연령	사춘기	후기 청소년기, 초기 성인기
체중	체중감소 > 15%	거의 정상
성에 대한 관심	−	+
신체상에 대한 왜곡	+	−
예후	나쁨	신경성 식욕부진증보다 좋음

폭식장애(Binge eating disorder)

1. 임상양상

1) 반복되는 폭식삽화가 평균 3개월 동안 적어도 주 1회 이상
2) 특징적 증상은 정상보다 훨씬 빠른 속도로 먹기, 불편할 정도로 배가 부를 때까지 먹기, 신체적으로 배고프다고 느끼지 않을 때에도 많은 양의 음식을 먹기, 자신이 많이 먹는 것이 부끄러워서 혼자 먹는 행동, 폭식 후 자신에 대해 혐오감, 우울감 또는 심한 죄책감을 느낌 등이 있음
3) 이 장애와 관련하여 다양한 범위에서의 기능 제한을 보이는데, 사회 적응 문제, 건강 관련 삶의 질 저하, 삶의 만족도 저하, 내과적 합병증과 치사율의 증가, 건강 관련 시설 이용 증가 등을 보임

2. 감별진단

: 신경성 폭식증에서와 같은 폭식이 있으나, 폭식 후 체중증가를 억제하기 위한 반복적이고 부적절한 보상행동, 즉 구토나 이뇨제 복용 같은 제거행동이 없다.

16 CHAPTER 배설장애

유뇨증(Enuresis)

1. 대소변 가리기

1) 발달 순서: 밤에 대변 → 낮에 대변 → 낮에 소변 → 밤에 소변

2) 대소변 훈련을 시작하는 적절한 연령: 18~24개월

2. 정의

1) 5세 이후에도 반복적으로 불수의적으로 또는 고의로 소변을 옷이나 방바닥에 보는 것, 최소 3개월 동안 일주일에 2번 이상 소변을 못 가리는 경우 ∴ 유분증은 4세 이상

2) 분류

① 일차성(80%): 출생 후 현재까지 소변 가리기가 이루어지지 않은 채 계속 증상이 나타나는 경우. 신체 발달상의 문제가 주원인, 정신지체 또는 다른 발달지연 동반 많음

② 이차성(20%): 적어도 1년 이상의 기간을 소변을 잘 가려왔으나 다시 소변을 가리지 못하게 된 경우. 흔히 심리적, 사회적 스트레스에 대한 반응이 주원인

③ 밤에만 나타나는 야간형(nocturnal enuresis), 낮에만 나타나는 주간형(diurnal enuresis), 밤과 낮 동시에 나타나는 주야간 복합형

3. 원인

1) 유전적 요인(75%에서 가족력)

2) 발달: 중추신경계의 미성숙, 방광의 기능장애(해부학적으로 정상)

3) 사회적, 정신적 스트레스

① 퇴행성 유뇨증(regressive enuresis): 스트레스가 있을 때 퇴행

예) 동생이 태어남, 부모와의 이별 또는 상실, 큰 병에 걸릴 때

② 복수성 유뇨증(revengeful enuresis)

예) 부모에 대한 분노, 불안에 억압된 감정이 공격적 복수의 형태

4) 최근 연구 결과들에서 성숙성 또는 발달성 요인이 유뇨증의 중요한 요인으로 간주 일반적 발달 장애의 한 형태이며, 다른 여러 가지 발달지연이 2배 높다.

4. 임상양상

1) 전반적으로 남자가 여자보다 1.5~2배 많은 것으로 보고
2) 빈뇨나 급뇨 문제를 동반하기도 함
3) 발달장애와 다른 정신과 장애 동반되기도 함: 유분증, 야경증, 수면 중 보행장애, ADHD 등
4) 당혹감, 굴욕감, 사회공포, 자존감 저하 등을 경험

5. 진단: 유뇨증의 DSM-5 진단기준

A. 침구나 옷에 반복하여 불수의적으로 또는 고의로 소변을 본다.
B. 최소 3개월간 일주일에 2회 이상의 유뇨증상을 보인다.
C. 임상적으로 중대한 고통이 되거나, 사회, 학업(직업) 또는 다른 중요한 분야의 기능에 지장을 준다.
D. 실제 연령이 최소한 5세이다(또는 이와 동등한 발달수준).
E. 증상이 약물(예: 이뇨제)의 생리적 결과나 다른 의학적 상태(예: 당뇨병, 이분척추증, 경련질환)로 인한 것이 아니다.

특정형
- 야간형
- 주간형
- 야간 및 주간형

※ 감별진단: 기질적 유뇨증

: 빈뇨나 급뇨를 보이는 경우, 특히 주간 및 야간 유뇨증이 같이 있는 경우 기질적 요인이 많음

6. 치료

1) 대소변 가리기 훈련: 일차성 유뇨증, 훈련 병력이 없는 경우
2) 행동치료: 대부분의 치료 가이드라인에서 첫 번째 치료방법으로 권장
   ① 방광 훈련 bladder training
   ② 전자식 경보기(bell and pad): 가장 안전하고 효과적(50%에서 효과적)
3) 약물치료: 처음부터 사용하지 않음
   ① desmopressin (DDAVP)
   ② TCA (imipramine): 심독성, 경련 역치 저하 등 부작용 주의

7. 경과 및 예후

1) 자아이질적인 증상일 경우가 많아서, 증상이 해결되면서 자아존중감, 자신감 등이 향상
2) 대부분의 유뇨증은 나이가 들면서 후유증 없이 저절로 호전
3) 일반적으로 조기 발병군보다 후기 발병군에서 정신 증상 동반이 흔하며 예후가 좋지 않음

유분증(Encopresis)

1. 개념

1) 최소한 3개월 동안 적당한 장소가 아닌 곳에 불수의적 또는 고의로 대변을 보는 경우
2) 소아의 나이나 발달 정도가 최소한 4세

2. 역학

1) 4세에 5%, 5세에 1%가 유분증. 7~8세 소아군에서 유분증의 빈도는 1.5%
2) 모든 나이에서 유분증은 여아보다 남아에 6배 더 많음

3. 원인

1) 생리적 요인과 정신적 요인의 복잡한 상호작용으로 추정됨
2) 유분증이 있는 소아는 주의가 산만하고, 집중력이 낮고, 과다활동이 있음
3) 대소변 가리기 훈련과정을 둘러싼 부모와 소아 사이의 자율과 통제에 대한 힘겨루기
4) 심리사회적 스트레스: 입학, 동생의 출생, 부모의 불화, 어머니와 이별, 병에 걸리거나 입원
5) 배변 시 통증 있으면 배변을 두려워해 변비가 생기기 쉬우며, 변을 참다가 유분증이 나타나기도. 약물(항경련제, 진해제)에 의해 변비가 생기면 유분증으로 발전하기도

4. 임상양상

1) 3개월간 적어도 1달에 한 번 이상 적절한 장소가 아닌 곳에 대변을 볼 때 진단 고려
2) 항문괄약근 수축에 이상이 나타나는 경우에 변비와 범람실금(overflow incontinence) 동반
3) 증상이나 냄새 때문에 가족이나 사람들이 싫어하고 친구들도 놀린다. 따라서 열등감이 생기고 배척감을 느낀다. 유분증 환아에게 정신지체나 행동장애, 특히 유뇨증이 동반되는 수가 많음

5. 진단: 유분증의 DSM-5 진단기준

> A. 대변보기에 적절치 않은 곳에 반복하여 불수의적 또는 고의로 대변을 보는데
> B. 최소 3개월간 1달에 최소 1회 이상 유분증이 있다.
> C. 연령이 최소 4세이다(또는 이와 동등한 발달수준).
> D. 증상이 약물(예: 하제)의 생리적 결과나 변비에 관련되는 기전을 제외한 의학적 상태에 의한 것이 아니다.
> 특정형
> - 변비 동반 범람실금형(retentive)
> - 변비 비동반 범람실금형(nonretentive)

※ 감별질환: 선천성 거대결정, 항문 또는 직장의 협착, 평활근장애, 내분비이상 등

6. 경과 및 예후

1) 대개 청소년기에 이르면 저절로 호전
2) 가족 문제나 행동문제가 공존하는 경우는 예후가 나쁨

7. 치료

1) 시간이 지나면서 자연적으로 회복될 수도 있으며, 치료는 유뇨증과 유사.
2) 대변 가리기 훈련, 행동치료, 정신치료, 가족교육, 가족치료 등
3) 변비형(retentive)
   ① 의학적 치료(변비약 등으로 정기적 배변 가능할 때까지)
   ② 행동치료(고정된 배변시간 지키기), 정신치료, 환자와 부모에 대한 교육, biofeedback
4) 비변비형(nonretentive): 정신치료(정서장애/행동문제 있을 때), biofeedback 환아가 생활 사건을 스스로 통제할 수 있다고 느낄 때 좋은 치료 결과를 얻을 수 있음.

17 CHAPTER 수면장애

정상 수면

non-REM sleep (NREM)

: 전체 수면의 75%

1) 1단계 수면: 각성상태의 alpha파가 소실되고 theta파가 나타남
2) 2단계 수면: 1단계를 지나 12~14 Hz의 spindle과 K complex가 특징적으로 나타나는 시기이다.
3) 3단계 수면: delta wave < 50%
4) 4단계 수면: delta wave > 50%
   ① 3, 4단계의 수면을 합쳐서 델타수면 혹은 서파(slow wave) 수면이라 하고 수면 초반부에 많으며 sleep terror는 이때에 주로 나타난다.
   ② 노인이 되면 서파수면이 현저히 감소하고 지속적인 수면유지가 어려워진다.

Awake	eye open	beta (frequency ↑, voltage ↓)	
	eye closed	alpha	
NREM (75%)	stage 1 (5%)	theta	light sleep
	stage 2 (45%)	sleep spindle, K complex	deeper sleep
	stage 3~4 (25%)	delta (frequency ↓, voltage ↑)	deepest sleep
REM (25%)		beta (sawtooth wave)	dreaming

REM sleep

1) 1단계 수면과 유사, 80% 이상에서 꿈을 꿈
2) 수면 중 약 5차례 반복, REM 수면은 수면 후반부로 갈수록 길어짐
3) low voltage, random fast activity with sawtooth wave
4) 특징
   ① 각성 시와 유사한 활동성(뇌온도와 뇌혈류량 증가)
   ② 렘수면 잠복기(REM latency): 70~100분에 첫 REM 수면 REM latency의 감소: 우울장애, 기면병, 알코올 관련장애
   ③ 급속안구운동
   ④ EMG상 muscle tone의 현저한 감소: muscle atonia
   ⑤ 음경 발기
   ⑥ prolactin 분비와 관계
   ⑦ 체온조절능력 상실: 변온성
   ⑧ 극심한 근육이완과 피부저항(electrodermal potential의 증가)의 반응성 약화
   ⑨ 꿈
5) 연령과의 관계: REM은 neuron 발달과 관계
   ① 나이 들수록 REM sleep ↓ (신생아: 50% 2~3세: 25%정도)
   ② 사춘기가 되면 성인의 양과 비슷하며, 그 이후 일정 비율로 평생 유지됨

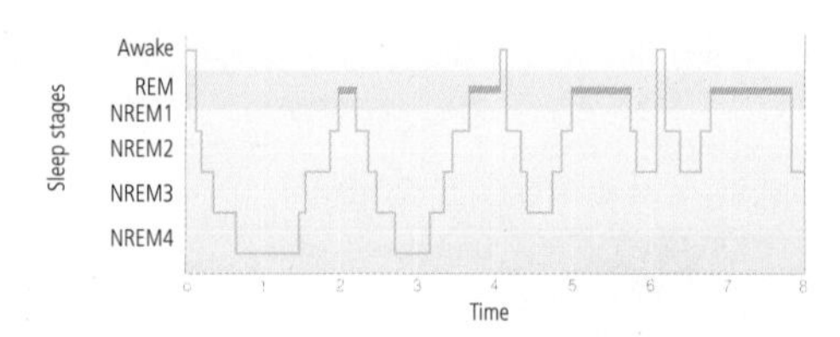

REM 수면과 NREM 수면의 비교

	NREM 수면	REM 수면
EEG EOG EMG	방추, K 복합체, 델타파, 동조적 정지, 혹은 느린 운동 부분적 이완	낮은 전위, 혼합된 주파수, 톱니 모양의 파장. 비동조적 갑작스런 빠른 운동 역중력 근육의 긴장소실
늑간근 이설근	부분적 이완 부분적 이완	긴장 소실 긴장 감소
혈압 심박수 심박출량 **대뇌 포도당대사** 뇌온도 호흡수 CO_2에 대한 호흡반응 생식기 정신활동 연관된 수면장애	감소, 불변 감소, 불변 감소 감소 감소 감소 보존 가끔 종대 개념적, 추상적, 드물게 꿈을 꿈 **야경증, 몽유병, 이갈이, 유뇨증**	다양한 반응 다양한 반응 감소 **불변, 혹은 증가** 증가 다양한 반응 부분적 손상 **종대(음경발기)** 지각적, 자주 꿈을 꿈 **기면병, 악몽, REM수면 행동장애(RBD)**
관계되는 호르몬	GH	prolactin
기능	**신체 및 근육기능의 회복**	뇌의 단백질 기능회복: **뇌의 소모된 기능회복**

생체리듬과 수면생리

: 24시간 주기의 circadian rhythm의 조절

1) 내적 조절: 대뇌의 suprachiasmatic nucleus에 있는 internal clock
2) 외적 조절: 태양의 위치와 강도, 식사, 업무시간, 기상 및 수면시간), 제일 중요한 것이 기상시간
3) 체온: 가장 밀접. 수면시작과 함께 내려갔다가 새벽부터 오르기 시작하여 활동시간에 최고치 유지
4) 생체호르몬: corticosteroid, TSH가 이 리듬의 조절을 받음

수면장애

※ 수면장애의 분류(DSM-5)

1. 일차성 수면장애 primary sleep disorder
① 수면장애(수면이상, dyssomnia)
수면-각성장애(sleep-wake disorders) 불면장애(insomnia disorder) 과다수면장애(hypersomnolence disorder) 기면병(narcolepsy) 호흡관련 수면장애(breathing-related sleep disorder) 폐쇄성 수면무호흡 저호흡(obstructive sleep apnea hypopnea) 중추성 수면무호흡(central sleep apnea) 수면-관련 저환기(sleep-related hypoventilation) 일주기 리듬 수면장애(circadian rhythm sleep-wake disorder)
② 사건수면(수면수반증, parasomnia)
비렘수면 각성장애(non-REM sleep arousal disorder) 야경증(sleep terror disorder) 수면보행장애(몽유병)(sleepwalking disorder) 악몽장애(nightmare disorder) 렘수면행동장애(REM sleep behavior disorder) 하지불안증후군(restless legs syndrome)
2. 다른 정신질환과 관련된 수면장애 Sleep disorder related to another mental disorder
물질/약물-유발 수면장애(substance/medication-induced sleep disorder)
3. 기타 수면장애 other sleep disorder

수면장애(수면이상, dyssomnia)

1. 불면장애(insomnia disorder)

1) 개념

(1) 수면-각성장애(sleep-wake disorders)의 하나로 뚜렷한 신체적 · 정신과적 원인 없이 잠을 자지 못하거나 잠을 유지하지 못하는 것

(2) 특히 일차성 불면증(primary insomnia)은 다른 신체적 및 정신적 장애와 상관없는 불면증으로 잠이 잘 들지 못하며 중간에 자주 깨는 것이 특징이다.

2) 역학

(1) 모든 수면장애 중 가장 흔함

인구의 1/3이 불면증상 있고 10~15%가 낮 동안 장애, 6~10%가 불면장애의 진단기준에 맞음

(2) 남성보다 여성에 많음

(3) 불면장애 단독인 경우도 있지만 다른 정신장애의 증상으로 나타나는 수가 훨씬 더 많음

3) 원인

(1) 각성시와 수면시에 보이는 생리학적 과각성상태

(2) 행동모델

① 소인적 요인: 성격특징과 같이 불면증을 일으킬만한 요인

② 유발 요인: 생활사적 스트레스 사건들과 같은 요인

③ 지속 요인: 수면과 관련된 불안감, 부적응적인 수면습관 등의 요인

4) 임상양상

(1) 잠들기 힘들건, 유지하기 힘들거나, 새벽에 깨는 양상 등이 나타남

(2) 수면에 대한 부정적 조건화로, 환자들은 보통 충분한 수면을 취하는 데 몰두함

5) 진단

A. 수면의 질 또는 양에 뚜렷한 불만을 호소. 다음 중에서 하나 이상으로 나타남
  (1) 잠들기 어려움
  (2) 잠을 유지하기 어려움(자주 깨거나 깬 다음에 다시 잠들기 어려움)
  (3) 이른 새벽에 깨어나서 다시 잠들기 어려움
B. 사회적, 직업적, 학업적 또는 다른 주요기능 면에서 임상적으로 유의한 곤란과 장애를 초래
C. 수면의 어려움은 일주일에 3일 이상이며, 3개월 이상 계속된다.
D. 수면의 어려움은 잘 수 있는 적당한 기회가 있었어도 나타난다.
E. 다른 수면-각성장애에 더 들어 맞거나 그 과정 중에 나타난 것이 아니며, 물질의 생리적 효과에 의한 것이 아니며, 다른 정신장애로 불면증을 더 잘 설명할 수 없다.

6) 치료

(1) 비약물적인 치료: 수면위생(sleep hygiene) 교육, 자극조절, 수면제한, 인지치료, 이완훈련 등

[수면위생(★구체적으로 알아둘 것)]

1. 다음 날 아침 상쾌할 정도로만 자라.
2. 기상시간을 일정하게 하라.
3. 운동을 규칙적으로 하라.
4. 규칙적인 식사를 할 것과 허기진 채로 잠자리에 들지 마라.
5. 밤에 과도한 수분 섭취는 금물
6. 담배, 커피를 피할 것
7. 술은 특히 저녁에 피할 것
8. 고민을 잠자리까지 갖고 가지 마라.
9. 잠을 자려고 억지로 노력하지 마라.
10. 자다가 시계를 보지 마라.

요법	설명
1. 수면 위생 지키기	올바른 수면환경에 대한 일반적인 지침
2. 자극제어법	침대/침실과 잠에 대한 잘못된 관계를 다시 정립하고, 수면/각성 주기를 다시 구성하는 방법
3. 수면제한법	침대에 누워있는 시간을 줄이고 실제 잠을 잔 시간을 늘리는 방법
4. 이완요법	침대에 누워있을 때 몸의 긴장을 줄이고, 끊임없이 드는 잡생각을 줄이기 위한 방법
5. 인지치료	잠에 대한 왜곡된 생각들을 교정하는 방법
6. Paradoxical intention	잠을 자기 위해 노력하는 행위를 줄이게 하여 오히려 잠을 더 잘 자게 하는 방법

(2) 약물치료: 비벤조디아제핀계열/벤조디아제핀계열 수면제, 항우울제, 멜라토닌 등 사용

2. 과수면장애(hypersomnolence disorder)

1) 임상양상

(1) 매우 드물며, 야간 수면이 연장되고 낮에도 졸음이 계속되는 것

(2) 약 50%에서는 기상 후에도 잠에 취한 상태(sleep drunkenness)가 수 시간 지속

(3) 1시간 이상의 낮잠을 하루 1~2회씩 자는 경우가 많다.

(4) 야간 수면이 길어지고 낮잠을 적어도 1개월 이상 거의 매일 잔다.

2) 진단

(1) 수면다원검사(밤에 시행): 서파 수면↓, 각성 횟수↑, REM 잠복기↓

(2) MSLT (multiple sleep latency test) (낮에 4~5차례에 걸쳐 시행)

: 낮에 불을 끈 조용한 방에서 대개 5분 이내 잠이 들면 수면과다로 진단할 수 있다.

A. 주된 수면시간에 7시간 이상 잠을 잤음에도 불구하고 과도한 졸림을 주관적으로 호소.
다음 중에서 하나 이상의 증상이 있다.
(1) 하루에 반복적으로 잠을 자거나 잠에 빠짐
(2) 주된 수면기간이 하루에 9시간 이상이며 이는 비회복성임(즉, 상쾌하지 않음)
(3) 갑자기 깨고 나서 완전히 각성상태로 되기 어려움
B. 수면과다가 3개월 이상 동안에 일주일에 세 번 이상 나타나며
C. 인지적, 사회적, 직업적 또는 다른 주요기능 면에서 임상적으로 유의한 곤란과 장애를 일으킴
D. 다른 수면장애로 설명되지 않고 또는 그 경과 중 나타나는 것이 아니어야 하며, 물질의 생리적 효과에 의한 것이 아니며, 동반되는 다른 정신장애나 의학적 질환으로 수면과다를 더 잘 설명할 수 없다.

3) 치료

(1) 원인을 찾아서 교정함이 우선이며, 생활 및 수면의 교정이 필요하다.
수면위생, 중추신경자극제, 적절한 낮잠 등을 조합

(2) 약물: 중추신경자극제(dextroamphetamine, methylphenidate), 비전형적 자극제[modafinil (중추성 α1-agonist)]. 일부에서 fluoxetine 같이 졸리지 않은 항우울제가 효과적이기도 하다.

3. 기면병(narcolepsy)

1) 특징

: 과도한 주간 졸음과 REM 수면 이상 양상을 3개월 이상 매일 보인다.

(1) 성인 인구의 0.02~0.16%

(2) 청소년기과 초기 성인기에 가장 흔히 발병

(3) 가족적 경향

(4) REM 억제 기전의 이상: 간질(epilepsy)과 상관없음

2) 임상증상

(1) 수면발작(sleep attacks): 낮 동안의 과도한 졸림. 환자는 잠에 빠지는 것을 피할 수 없다.

(2) 탈력발작(cataplexy)

: 크게 웃거나 화를 내는 등 급격한 감정 변화가 자극이 되어 갑자기 운동근육이 이완이 되어 쓰러지는 경우(기면병의 60%에서 동반)

(3) 수면마비(sleep paralysis): 잠이 들려고 할 때나 깰려고 할 때 전신근육이 마비되는 경우

(4) 입면환각(hypnagogic hallucination)과 출면 환각(hypnopompic hallucination): 잠이 들거나 깰 때 환각을 경험하는 경우

(5) 야간 수면 분절(nocturnal sleep fragmentation)

(6) 각성 상태에서의 자동행동증(automatic behavior)

3) 진단

A. 동일한 날에 반복되는 저항할 수 없는 졸음, 잠에 빠짐 또는 낮잠이 나타남
B. 3개월 이상 동안 매주 세 번 이상 일어남
C. 증상으로, 다음 중 하나 이상의 현상이 있음
(1) 탈력발작이 1달에 적어도 몇 번 나타남
(탈력발작은 장기간 병이 있었던 사람에서는, 몇 초~몇 분의 짧은 시간 동안의 갑작스런 양측성 근력의 소실 삽화가 의식은 명료한 상태로 나타나는데, 이는 웃음이나 농담으로 촉발된다.
한편 어린이나 발병이 6개월 미만인 경우에서는, 뚜렷한 감정 유발요인 없이 혀를 내밀거나 전반적 긴장저하(global hypotonia)가 있으면서 찡그리거나 또는 턱을 여는 삽화가 있다.)
(2) CSF에서의 hypocretin 결핍
(3) 야간 수면다원검사에서 렘수면잠복기가 15분 이하 또는
MSLT (multiple sleep latency test)에서 평균수면잠복기가 8분 이하 이면서 2개 이상의 sleep-onset REM periods 가 나타남

특정형
- 탈력발작은 없고 hypocretin deficiency가 있는 기면병
- 탈력발작이 있고 hypocretin deficiency가 없는 기면병
- AD cerebellar ataxia, deafness and narcolepsy, AD narcolepsy, obesity, and type 2 diabetes, narcolepsy secondary to another medical condition 등

(1) CSF에서 hypocretin-1을 측정하여 정상인에 비해 1/3이하이거나 110 pg/mL 이하

(2) 주간 수면잠복기반복검사(MSLT, multiple sleep latency test)에서 평균수면잠복기가 8분 이하

이고 입면 후 REM 수면이 2차례 이상 나타남

(3) 야간 수면다원검사에서 NREM이 거의 없이 REM 수면이 수면 후 15분 이내에 나타남(입면 후 REM수면(sleep onset REM (SOREM))

4) 치료

(1) 약물치료

① 주간졸림증 - 중추신경자극제(CNS stimulants) 사용: methylphenidate, modafinil

② 탈력발작 – 세로토닌, NE 촉진하는 항우울제 사용: venlafaxine, fluoxetine, imipramine 등

(2) 정신과적인 개입과 재활 치료: 증상으로 인한 가정문제, 사회적응이 문제 해결

4. 호흡관련 수면장애: 수면무호흡증후군(sleep apnea syndrome)

1) 정의

: 수면 중 호흡중단이 반복적으로 나타나는 경우로 수면다원검사상 10초 이상 수면 중 무호흡이 나타나는 경우가 1시간에 5회 이상이거나 하룻밤 동안 30회 이상인 경우

2) 종류

(1) 수면무호흡증후군(sleep apnea syndrome)

(2) 일차성 코골이(primary snoring)

(3) 상기도 저항 증후군(upper airway resistance syndrome)

(4) 중추성 폐포 저환기 증후군(central alveolar hypoventilation syndrome)

3) 원인

(1) 중추성 무호흡증

(2) 폐쇄성 혹은 상기도 무호흡증

(3) 혼합형

4) 임상양상

(1) 비만하거나 목이 짧고 턱이 작거나 비구강이 협소한 사람에서 많이 온다.

(2) 코골이와 밀접한 관계가 있다. 코를 골 때 호흡저하증이나 그 후 무호흡증이 계속될 가능성이 많다.

(3) 합병증

① 정신적인 합병증: 수면과다증, 기억력 및 집중력 감퇴, 우울증

② 신체적인 합병증: 고혈압, 부정맥, 우심부전, REM 수면 중의 사망

5) 진단

: 수면다원검사(polysomnography)에서 수면시간당 발생 횟수인 AHI 통해서 심각도 정의

※ AHI (Apnea-Hypopnea Index): 수면 1시간 동안 무호흡/저호흡이 나타나는 빈도로 표시

① 정상: AHI 5회 이하
② 경도(mild): AHI 5~15회
③ 중등도(moderate): AHI 15~30회
④ 고도(severe): AHI 30회 이상

6) 치료

(1) 원인 제거
(2) 심하지 않는 경우 잠을 자는 위치를 조절하거나 호흡 기능 억제 요인들을 제거
(3) 호흡중추자극제: acetazolamide, clomipramine, progesterone 등도 효과
∴ 수면 중 증상 악화시키는 alcohol과 진정제 복용 금지
(4) CPAP (continuous positive airway pressure): 가장 보편적 치료
(5) tracheostomy (매우 심각한 경우), UPPP (uvulopalatopharyngoplasty)

5. 일주기 리듬 수면-각성장애(circadian rhythm sleep-wake disorder)

= 수면-각성주기장애(sleep-wake schedule disorder)

1) 개요

(1) 일주기 리듬(체내 수면-각성주기)과 외부의 수면-각성 일정이 어긋나(예: 야간 교대근무, 시차) 발생하는 수면장애
(2) 자고 싶을 때 못 자고 깨어 있어야 할 때 졸리고 자도 개운하지 않음

2) 임상양상

(1) 야간근무자, 교대 근무자의 25%에서 장애
(2) 환자의 하루 중 수면-각성 양상과 환경에 맞는 수면-각성 일정이 어긋나서 수면이 방해받고 이로 인해 과도한 졸림 또는 불면이 발생
(3) 이로 인해 현저한 기능장해 또는 고통

3) 종류

(1) 교대근무형(shift work type)
(2) 시차증후군(jet lag syndrome): 다른 시간대를 지나는 여행자
(3) 수면위상 지연 증후군(delayed sleep phase syndrome): 늦게 자고 늦게 일어남
(4) 수면위상 전진 증후군(advanced sleep phase sydnrome): 일찍 자고 일찍 일어남
(5) 불규칙 수면-각성 양상(irregular sleep-wake pattern): 수면/각성주기가 뒤죽박죽임

4) 치료

(1) 치료원칙
① 목표에 맞추어 단계적인 수면-각성 주기를 조정
② 예) 교대근무의 경우 점차 근무를 미루는 스케줄로, 해외여행은 동에서 서로

(2) 교대근무형 및 비행시차형

① 근무시간/현지시간에 미리 맞춰 수면-각성 시간을 바꾸기

② 광치료(light therapy): 백색광에 일정시간 노출시켜 일주기 체계의 수면 위상을 변화시키는 것

③ melatonin: 수면 위상 조절 효과

(3) 수면위상 지연

① 조금씩 더 늦게 자고 늦게 일어나서 원하는 수면-기상 시각에 맞추기

② 광치료: 이른 아침에 시행

사건수면(수면수반증, parasomnia)

1. 악몽(nightmare, dream anxiety disorder)

1) 원인

① 소아는 정신 병리와 관계되어 나타날 수 있으나 성장하면서 없어질 수 있는 양호한 경과를 가짐

② 성인의 악몽은 정신 병리, 특히 심한 스트레스 후에 잘 발생

③ 발열, REM 수면 억제제 갑자기 끊은 경우

2) 임상양상

① REM 수면에서 발생(∴ REM 수면이 긴, 수면 후반 1/3인 새벽에 많다.)

② 자고난 뒤 꿈 내용 생생히 기억

③ 자율신경계의 기능항진증상이 거의 동반 안 됨 - 야경증과의 감별점

④ 여아에서 2~4배 정도 흔히 발병

3) 치료

① 대개 특별한 치료가 필요치 않다.

② TCA (imipramine)(REM 수면 억제), BDZ

2. 비렘수면각성장애(NREM sleep arousal disorder)

1) 임상양상

(1) NREM 3, 4단계에서 발생, 기억을 못함

(2) 가족적 경향이 있고, 주로 소아에게서 나타나며 특별한 병리 없는 수면 발육 과정

(3) **야경증(sleep terror)**

- DSM-5 진단명: NREM sleep arousal disorders, sleep terror type
- **수면 중에 깨어나서 큰 비명과 동작, 고도의 자율신경반응을 동반하는 심한 공포와 공황상태**
- 삽화동안에는 달래고 안정시키는 것이 어려움 → 강제로 제지하지 말 것

(4) **수면보행증(sleepwalking)**

- DSM-5 진단명: NREM sleep arousal disorders, sleepwalking type
- **수면 중 일어나서 돌아다님**

2) 치료

(1) 특별한 병리 없이 수면 발육 과정에서 나타나며, 나이가 들면 호전

(2) 특별한 치료 필요 없으며 부모를 안심

(3) 약물치료: 저용량의 benzodiazepine (clonazepam, diazepam)

3. 렘수면 행동장애(REM sleep behavior disorder)

1) REM 수면에 정상적으로 나타나야 할 근긴장도 소실이 불완전하여 꿈의 내용을 실행

2) 50~60대에 흔히 시작되고 대부분이 남자 환자

3) 원인은 모르는 경우가 많으며 약 60%가 특발성

4) 옆에서 자는 사람을 때리거나 환자가 침대에서 일어나다 다치는 경우가 많은데 환자는 꿈속에서 격투를 벌이거나 도망을 치는 등의 꿈을 꾸었다고 보고

5) 수면에 관련되어 난폭한 행동과 신체적 손상이 일어나기 쉬운 잠재적 위험성 → 진단과 치료가 중요

6) 진단: 수면다원검사(DOC)

: 렘수면에서 근전도의 긴장도 증가와 함께 사진의 움직임을 보이면 확진

7) 치료

① **clonazepam: 효과적**

② L-tryptophan: 지속적이고 재발하는 경우에 투여

4. 하지불편증후군(restless legs syndrome, RLS)

1) 개요

(1) 수면 직전 혹은 수면 중에 하지에 근질거리는 이상감각과 불편함, 초조함이 느껴져 다리를 주무르거나 두드리거나 하고 싶은 충동이 들어 수면이 방해받는 현상

(2) 고령, 임신, 신장질환 및 철결핍성 빈혈 시에 발생하기 쉬움

(3) 원인: 불확실(dopamine 또는 endogenous opioid의 이상으로 추정함)

2) 임상양상

(1) 다리의 이상한 감각은 통증, 불편감, 가려움, 벌레가 기어가는 느낌, 땡김, 저림 등 다양하게 호소

(2) 양측성, 주로 발목과 무릎 사이

(3) 대부분 주기성 사지운동증(periodic limb movement disorder)도 함께 나타남

3) 진단

(1) 임상증상으로 진단 가능

(2) 수면다원검사: 수면 시작 전에 이상감각을 동반한 사지의 움직임 관찰

4) 치료

(1) 다리를 움직이거나 주무르면 일시적으로 완화

(2) 약물치료

① **dopamine agonist: pramipexole, ropinirole**

② benzodiazepine: **clonazepam**

③ 항경련제: carbamazepine, gabapentin, pregabalin

④ 기타: opioid, 철분 제제 등

(3) 철결핍성 빈혈의 경우 원인을 교정하는 것이 우선

정상 성 반응 주기와 성 장애

정상 성 반응 주기

1. 욕구기(desire phase)

1) 성행위에 대한 성적 공상이나 욕구가 나타날 때, 생리적 변화는 없음
2) 관련 기능 장애: 성욕감퇴장애, 성욕혐오장애, 일반적 의학적 상태에 의한 성욕감퇴장애, 물질 유도성 욕구장애, 동반 성기능장애

2. 흥분기(excitement phase)

1) 애무와 같은 신체적 자극이나 성적 공상의 심리적 자극에 의해 주관적 흥분, 생리적 변화 나타남
2) 관련 기능 장애: 여성 흥분장애, 남성 발기장애, 일반적 의학적 상태에 의한 남성 발기장애, 일반적 의학적 상태에 의한 성교통증, 물질 유도성 흥분 상태, 동반 성기능장애

3. 극치기/절정기(orgasmic phase)

1) 쾌감이 최고조에 이르며, 극치감과 함께 남성에서는 사정, 여성에서는 질 하부 경련, 자궁 수축 등
2) 관련 기능 장애: **여성 절정감 장애(여성장애 중 m/c), 남성 절정감 장애(사정지연), 조루증(남성장애 중 m/c)**, 일반적 의학적 상태에 의한 성기능장애, 약물 유도성 절정감 장애, 동반 성기능장애

4. 해소기(resolution phase)

1) 신체가 성적 자극이 없던 원래의 상태로 돌아가는 시기로, 주관적 만족감과 근이완 등의 생리적 변화가 나타나고 여성에서는 나타나지 않는 불응기가 남성에서는 수 분~수 시간 나타나게 됨.
2) 관련 기능 장애: 성교 후 불쾌감, 성교 후 두통

【정상 성반응 주기와 성 장애】

단계	신체변화	장애
욕구기 desire	성적 공상, 생리적 변화 없음	성욕감퇴장애 성욕혐오장애 일반적 의학적 상태에 의한 성욕감퇴장애 물질 유도성 욕구장애, 동반 성기능장애
흥분기 arousal	① 흥분기 • 남녀의 주관적 쾌감과 생리적 변화 수반 (음경발기, 음핵팽창, 질윤활액 분비, 질확대) • 맥박, 혈압, 호흡이 증가하기 시작 ② 고조기: 성홍조, 국소 울혈의 최고조 시기	여성 흥분장애 남성 발기장애 일반적 의학적 상태에 의한 남성 발기장애 일반적 의학적 상태에 의한 성교통증 물질 유도성 흥분 상태, 동반 성기능장애
절정기 orgasm	긴장감 해소, 쾌감이 최고조, 주기적 근육수축 • 남자: 사정, 극치감 • 여자: 클리토리스, 질적 극치감 동시 존재	여성 절정감 장애(여성장애 중 m/c) 남성 절정감 장애(사정지연) 조루증(남성장애 중 m/c) 일반적 의학적 상태에 의한 성기능장애 약물 유도성 절정감 장애, 동반 성기능장애
해소기 resolution	주관적인 만족감, 근육이완 • 남자: 절정감이 불만족스러우면 해소기↑ 불응기 존재 • 여자: 불응기가 없어서 중첩 절정감 가능	성교 후 불쾌감 성교 후 두통

성장애(sexual disorder): 분류

1) 성기능장애(sexual dysfunction)
   : 성적 흥분의 장애나 정신생리적 수행(psychophysiological performance)장애
2) 성도착증(paraphilia)
   : 문화적으로 부적절하거나 위험한 양상의 성적 흥분
3) 성별불쾌감(gender dysphoria)
   : 개인이 경험하고 표현하는 성별과 부여된 성별 간의 불일치로 인한 고통

성기능장애

성기능장애(sexual dysfunction)

1. 정의

: 일종의 정신 신체질환. 정상적인 성생리의 반응이 억제, 어떤 형태로든 성행위에 곤란을 느끼는 질환

2. 분류(DSM-5)

1) 성적 욕구/흥분 장애: 남성 성욕감퇴장애, 발기장애, 여성 성적흥미/흥분장애, 발기장애
2) 절정기 장애: 지연사정, 조루증, 여성 극치감 장애
3) 성 통증장애: 성기-골반 통증/삽입 장애

3. 치료

성치료의 특징: 목표를 환자의 성적 증상 해소에만 국한시키며, 치료방법으로 성행위지침을 사용한다.

1) dual-sex therapy (마스터즈와 존슨기법)
   : 치료 대상을 개인이 아닌 부부를 상대로 하여, 대체로 행동주의 이론에 기초하여 치료
2) 감각집중훈련(sensate focus exercise): 행동치료와 일종, 성행위 완수에 대한 불안감을 해방
3) 특수기법
   ① premature ejaculation: squeeze technique, stop-start-technique, 탈감작법
   ② 남성 성욕장애, 여성 절정감 장애 시 masturbation 권유
4) 정신치료
5) 약물치료
   ① 발기부전: sildenafil, apomorphine (dopamine 효현제), alprostadil
   ② 조루증: SSRI, PDE-5 억제제, tramadol, clomipramine)

변태성욕장애(Paraphilic disorder)

1. 정의

: 변태성욕장애는 정상적인 성행위에서 벗어난 성욕이나 행동을 말하는데, 강력한 성적 충동과 함께 성적 흥분을 위하여 비정상적 상상, 대상, 행위 또는 방법을 사용

1) 거의 남자에서 나타남.
2) 15~25세 사이에 가장 많고 이후 감소, 50% 이상은 18세 이전에 발병
3) 보통 3가지 이상의 도착증을 동시에 보임

2. 분류

여성물건애(절편음란증, fetishism)	여성의 물건을 통해 성적 만족을 반복하여 찾음	사춘기에 시작, 만성화 극치감은 자위를 통함
의상도착증(이성복장착용증, transvestic fetishism)	성적 흥분을 위해 남성이 여성의 옷을 입음	성주체성장애와는 다름
소아성애증(기아증, pedophilia)	13세 이하 소아와의 행위나 상상만이 반복적, 유일한 성적 만족 방법임	법적 문제되는 가장 큰 이유
노출증(exhibitionism)	성기를 노출시켜 성적 만족	극치감은 자위를 통함 중년 이상에서 발생 시 치매 의심
관음증(절시증, voyeurism)	타인의 성행위, 성기를 봐 만족	극치감은 자위를 통함
피학성애 (sexual masochism)	모욕,구타, 채찍질로 만족, 또는 신체적으로 위험한 활동에 성적 만족을 위해 의식적 가담	여성에 많다. 30%에 가학성애 동반
가학성애(sexual sadism)	동의 안하는 상대자에 반복고통 또는 동의하는 상대자에 모욕	강간, 살인, 폭력 위험
동물기호증(zoophilia)	동물과의 반복적 성관계	농촌 남성의 17%
접촉도착증(frotteurism)	붐비는 곳에서 음경이나 손을 옷 입은 이성의 신체에 비빔	유일한 성적 만족의 방법일 경우에만 진단

3. 원인

1) 심리사회적: 거세공포, 분리불안에서 기원하는 불안을 극복하기 위함
2) 생물학적: 호르몬 이상, 신경학적 이상, 염색체 이상 등

4. 치료

1) 통찰지향정신치료, 인지행동치료
2) 약물치료: 항안드로겐(cyproterone acetate나 medroxyprogesterone), 호르몬치료, SSRI 등

3) 수술적 치료: 시상하부의 일부 제거로 남성호르몬 생성 억제, 고환 제거

5. 경과 및 예후

1) 대개 청소년 및 초기 성인기에 시작하여 만성적인 경과
2) 나쁜 예후: 발병연령이 어릴 때, 행위가 빈번할 때, 수치나 죄책감이 없을 때, 약물남용이 있을 때
3) 좋은 예후: 한 종류의 변태성욕만 있을 때, 정상 지능, 약물 남용이 없을 때, 변태성욕 외의 성행위의 과거력이 있을 때, 반사회적 성격 성향이 없을 때, 법적 문제가 아니라 스스로 내원하였을 때

성별불쾌감

성별불쾌감(gender dysphoria)

: 과거 성전환증(transsexualism) 또는 성정체성장애(gender identity disorder)라 불렀음

1. 원인

1) 다요소 모델 고려: 생물학, 심리사회, 사회인지, 정신병리, 정신역동적 기전
2) 최근에는 생물학적 요소에 좀 더 중요한 역할로 보기도 함

2. 특징

1) 개인이 경험하고 표현하는 성별과 부여된 성별 간의 불일치로 인한 고통에서 발생
2) 대다수가 호르몬 혹은 수술과 같은 신체적 중재가 가능하지 않은 경우 고통을 받음
3) DSM-5
   ① 아동기 성별불쾌감(gender dysphoria in childhood)
   ② 청소년기 및 성인기 성별불쾌감
   ③ 달리 명시된 성별불쾌감, 명시되지 않은 성별불쾌감

3. 치료

1) 성별 정체성에 문제가 있는 것을 받아들이는 것에서부터 시작
2) 삶에 동반된 문제들을 개선시키고, 스트레스를 줄이는 데에 중점

19
CHAPTER

파괴적, 충동조절 및 품행장애

파괴적, 충동조절, 품행장애의 진단분류(DSM-5)

1) 적대적 반항장애(oppositional defiant disorder, ODD)
2) 간헐성 폭발성 장애(intermittent explosive disorder)
3) 품행장애(conduct disorder)
4) 반사회성 성격장애(antisocial personality disorder) - 성격장애 파트에서 다룸
5) 병적 방화(방화광, pyromania)
6) 병적 도벽(절도광, kleptomania)
7) 달리 분류되는(other specified) 파괴적, 충동조절, 품행장애
8) 분류되지 않는(unspecified) 파괴적, 충동조절, 품행장애

적대적 반항장애(oppositional defiant disorder)

1. 임상양상

1) 3세경부터 행동문제가 시작. 사춘기 이전에는 남자에 많음
   cf. 정상적인 반항 행동은 18~24개월에 가장 흔함: 자기 주장을 고집하고 작은 일에도 화를 내므로 이 시기를 'terrible twos'라고 함
2) 어른(특히 교사, 부모)과 논쟁적, 뚜렷하게 반항적, 불복종적, 도발적 행동
3) 반사회적 행동이나 공격적 행동이 두드러지지는 않음
   → ★규범을 위반하거나 타인의 권리를 침해하고, 공격적 행동을 보이는 경우는 드묾.
4) 만성화하면 거의 대부분 대인관계장애: 친구도 없고 학교생활도 error
5) 지능은 정상, 학업 성적이 나쁜 경우가 많음

6) 좌절감, 열등감이 많고 우울하고 참을성이 적다.

7) 청소년기에 술이나 물질남용 우려가 있음

2. 적대적 반항장애의 DSM-5 진단기준

A. 증상들 중 어떤 것이든 최소 4개가 있거나, 형제/자매 이외의 최소 1인과의 관계에서도 나타난다. 분노/이자극성(① 자주 분노조절을 못함, ② 자주 과민해지거나 쉽게 짜증을 냄, ③ 자주 분노하고 분해함) 논쟁적/반항적 행동(④ 자주 권위적 대상과 논쟁, ⑤ 권위적 대상의 요구에 응하거나 규칙을 따르는 것에 자주 적극적으로 반항하거나 거절함, ⑥ 다른 사람을 짜증나게 하는 일을 자주 일부러 함, ⑦ 자신의 실수나 나쁜 행실에 대해 다른 사람을 자주 비난함)강한 복수심(⑧ 지난 6개월간 최소 2회 이상의 앙심을 품었음) 주: 나이와 발달정도가 같은 사람들에 비해, 문제행동이 더 빈번할 때만 진단기준에 맞는다. B. 행동상의 폐해가 개인 혹은 그 개인과 사회적 맥락에서 매우 가까운 타인(가족, 또래집단, 직장 동료 등)의 고통과 관련되거나, 혹은 사회적, 교육적, 직업적 또는 다른 중요한 영역의 기능에 부정적 영향을 미친다. C. 문제행동들이 정신병적 장애, 물질 사용장애, 우울장애, 양극성장애 등의 경과 중에만 예외적으로 나타나지는 않는다. 특정형 (현재의 중증도를 구분): 경도, 중등도, 고도

3. 감별진단

1) 발달과정에서 정상적으로 나타나는 적대적 행동과 감별

2) 심한 스트레스시의 일시적 적대적 행동은 적응장애로 진단

3) 품행장애, 조현병, 기분장애 때 나타난 적대행동은 적대적 반항장애로 진단하지 않는다.

4) ADHD, 인지장애, 정신지체 때는 문제행동의 심한 정도와 기간에 따라 적대적 반항장애 진단 가능

4. 치료

1) 개인정신치료를 우선 시행(좋은 치료 관계 형성): 소아가 자신의 행동의 파괴성과 위험을 이해하고 자존심을 회복하여 자립적이고 새로운 적응기술을 획득하도록 도와준다.

2) 인지행동치료(효과적인 분노관리, 문제해결능력 증진, 충동표현 연기, 사회상호작용 개선)

3) 약물치료: 공존하고 있는 정신장애(예: ADHD, 우울증, 불안 등)를 치료

5. 경과 및 예후

1) 질병의 심한 정도, 장기간 지속기간, 품행장애, 학습장애, 기분장애, 물질 사용장애 등이 공존 가능

2) 약 1/4은 수년 내에 호전됨

3) 증상이 그대로 유지되고 다른 사람의 권리를 침해하는 품행장애로 이행 시 예후 나쁨

간헐적 폭발성장애(intermittent explosive disorder)

1. 원인

1) 심리, 환경적 요인: 불안정한 성장환경, 공격적인 부모와의 동일시

2) 생물학적 요인: 세로토닌의 감소로 인한 공격성의 증가
3) 뇌기능(변연계) 이상: 출산 시 뇌손상, 유아기 경련, 두부외상이나 뇌염을 앓은 경우 발생빈도 높음 검사 상 과잉행동장애, 경도의 신경학적 이상, 비특이적 뇌파 이상 동반 많음

2. 진단과 임상양상

1) 외부의 스트레스 자극에 비해 지나친 분노나 공격적 행동이 있고 자신의 의지와 상관없이 충동을 억제하지 못해 이러한 행동을 수차례 지속
2) 발작적인 공격행동 전 긴장이 증가되고 자율신경계의 흥분 증상
3) 하면 안 된다는 사실을 충분히 알고 있으면서도 강렬한 충동에 의해 어쩔 수 없이 행동: 행동 결과에 대해 후회나 자책감이 따라 오는 경우가 대부분
4) 평소에는 특별한 충동적, 공격적 행동이 없는 것이 보임

3) 치료

행동요법, 가족치료, 집단치료

품행장애(conduct disorder)

1. 역학

1) 소아청소년기 상당히 흔한 질환(18세 이하 남: 6~16%)
2) 남 > 여(4~12배), 남: 10~12세 호발, 여: 14~16세 호발
3) 반사회적 성격장애, 알코올의존이 있는 부모의 자녀에게서 빈번
4) 기타 사회경제적 요인, 생물학적 요인과 밀접한 관계

2. 임상양상

1) 4개 유형: 사람과 동물에 대한 공격성/재산의 파괴/속이기 또는 훔치기/심각한 규칙의 위반
2) 반복적, 지속적으로 다른 사람의 기본 권리를 침해하고, 사회적 규범이나 규율 위반
3) 서서히 발병하다가 다른 사람의 권리를 침해하는 정도로 진행
4) 공격적이고 잔인함, 애완동물에게도 잔인
5) 어른에게 적대적, 복종적이지 않음
6) 타인과 피상적 관계만 유지(타인의 감정, 욕구 관심 ×), 열등감
7) 처벌을 받으면 분노가 야기되어 문제가 더욱 악화

3. 진단기준

A. 다른 사람의 기본권리나 나이에 적합한 사회기준이나 규율을 위반하는 행동양상이 반복적이고 지속적으로 있으며, 다음 15개 증상들 중 3개 이상이 지난 12개월간 있으면서, 최소한 한 항목은 지난 6개월 동안에 나타난다.

사람과 동물에 대한 공격(7개 행동)
① 사람을 괴롭히고 위협한다.
② 자주 싸움을 건다.
③ 타인을 해칠 수 있는 무기를 사용한다(예: 곤봉, 벽돌, 깨진 병, 칼, 총).
④ 사람을 잔인하게 대한다.
⑤ 동물에게 잔인하게 대한다.
⑥ 피해자와 맞대면하여 눈앞에서 도둑질한다(예: 노상강탈, 지갑 날치기, 강도, 무장강도).
⑦ 다른 사람에게 성행위를 강요한다.

재산파괴(2개 행동)
⑧ 고의로 불을 지름
⑨ 방화 이외의 다른 사람의 재산의 고의적 파괴

속이기와 도둑질(3개 행동)
⑩ 다른 사람의 집, 건물 또는 자동차에 침입
⑪ 거짓말 (재산이나 애정을 취하거나 의무를 피하려고 자주 거짓말을 한다.)
⑫ 눈을 피한 절도 [피해자와 마주치지 않고 사소한 것이 아닌 물건을 훔친다(예: 부수거나 무단침입 없는 절도, 문서 위조).]

중대한 규칙위반 (3개 행동)
⑬ 13세 이전부터 시작된 부모가 금지하는 외박
⑭ 가출
⑮ 13세 이전부터 시작된 무단결석

B. 행동장애가 사회, 학업 또는 작업기능에 중대한 지장을 초래한다.
C. 18세 이상이면 반사회적 성격장애의 진단기준에 맞지 않아야 한다.

※ 10세를 기준으로 소아기 및 청소년기 발병형으로 구분하며, 증상의 심각도에 따라 경도, 중등도, 고도로 나눈다.

4. 감별진단

: ODD (적대적 반항장애), 기분장애(우울장애, 양극성장애), ADHD, 학습장애

5. 치료

: 다각적 치료프로그램

1) limit setting을 통한 행동조정, 긍정적 자아상 및 적응능력 정립
2) 가정폭력 있을 시 가정과 분리, 입원치료 할 수도 있음
3) 공격적 행동, 불안, 충동성: 항정신병약물, clonidine, SSRI, 기분안정제

6. 경과 및 예후

1) 좋은 예후: 증상이 가볍고, 공존병리 없고, 지능 정상

2) 나쁜 예후: 어린 나이 발병, 증상 수 많을 때 → 심하면 성인이 되어 antisocial PD로 발전 가능

병적 방화(방화광, pyromania)

1) 목적이 없는 것이 특징
2) 남성에게서 훨씬 많고 일반적으로 평균 이하의 IQ를 보임
3) 진단과 임상양상
   ① 뚜렷한 동기가 없는 2회 이상의 방화행위
   ② 방화에 관한 생각과 주변환경(소방차 등)에 집착
   ③ 방화로 인한 재산과 생명의 상실에는 무관심하고 후회도 안 하며 파괴 상태에 만족
   ④ 죄책감, 자기반성이 없음
4) 경과와 예후
   ① 병적 방화는 아동기에 시작
   ② 아동기의 방화는 치료 반응이 좋으나 성인에서는 예후가 좋지 않음

병적 도벽(절도광, kleptomania)

1) 개인적으로 필요치도 않고 금전적인 가치 때문도 아닌 물건들을 훔치고 싶은 충동을 반복적으로 억제하지 못하는 경우
2) 여성에서 호발, 생리와 연관하여 절도 행위를 하는 경우가 많음
3) 기분장애, 강박장애, 식사장애와 관련
4) 진단과 임상양상
   ① 자신과 타인의 이익을 위한 뚜렷한 동기가 없이 2회 이상의 절도행위
   ② 행동 전 강한 절도 욕구를 느끼며 행동 후 해소감을 느낌
   ③ 붙잡힐 가능성 때문에 심적 고통을 느낌. 죄책감을 느끼는 경우도 있음
   ④ 병적 도벽은 물건이 목적이 아니라 절도행위 자체가 그 목적임
   ⑤ 항상 혼자 행동
   ⑥ 훔치는 행동이 분노나 앙갚음의 표현이 아니며 망상이나 환청의 지시에 의한 것이 아님
5) 치료: 정신치료나 정신분석이 효과적

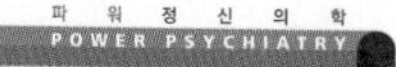

20 CHAPTER 알코올 및 물질 사용 장애

물질남용: 총론

1. 용어 정의

1) 물질(substance): 뇌에 영향을 미쳐 의식이나 마음상태를 변화시키는 물질

2) 물질 사용장애(substance use disorder): 물질을 사용하는 것으로 인해서 문제들이 발생함에도 불구하고, 지속적으로 물질을 사용함으로써 나타나는 인지적, 행동적, 생리적인 증상들의 상태

3) 물질남용(abuse): 불필요한 물질 사용으로 나타나는 부적응적인 행태가 나타나는 경우
   cf. 약물오용(misuse): 생체에 영향을 미치는 처방된 약을 지시대로 사용하지 않는 경우

4) 의존(dependence)(DSM-IV): 물질 때문에 생기는 문제에도 불구하고 지속 사용하는 경우
   ① 신체적 의존과 심리적 의존으로 나눌 수 있음
   ② 신체적 의존: 만성적인 사용으로 인해서 신체가 약물에 적응하여 내성/금단 생기는 상태
   ③ 심리적 의존: 물질을 추구하는 행위에 대해서 통제를 상실한 상태
   ④ 갈망(craving): 약물의 양성 강화로 인해 나타나는 현상으로, 약물 복용과 연관된 장면, 냄새, 상황과 같은 환경 내의 단서에 의해 유발되는 조건화되고 장기간 지속되는 반응

5) 습관성 중독/중독성(addiction)
   ① 습관화(habituation): 물질을 계속 사용함으로써 긴장과 감정적 불편을 해소하려는 것
   ② 신경적응(neuroadaptation): 물질의 반복투여로 나타난 뇌의 신경화학적/신경생리적 변화
   ③ 내성(tolerance): 같은 약물의 효과가 감소 or 같은 효과를 위한 양이 증가

6) 물질유발장애(substance-induced disorders)
   ① 중독(intoxication): 기억, 지남력, 기분, 판단, 행동적 · 사회적 · 직업적 기능에 영향을 미치는 특정 물질에 의한 가역적 증후군

② 급성 중독(acute intoxication): 급성의 직접적인 약리학적 효과에 의해 나타나는 정신생리적 기능의 장애로서, 조직 손상이나 의학적 합병증이 없으면 시간이 지나면서 호전됨

③ 물질금단(withdrawal): 물질의 사용을 중단하거나 사용량을 줄였을 때 나타나는 증상

7) 행위중독(behavioral addiction)

: DSM-5에서는 비물질 관련장애(non-substance-related disorders)인 인터넷게임중독, 도박장애(gambling disorder)를 포함시켰음. 이는 유사하게 보상체계(reward system)를 활성화시키고 물질사용장애의 증상과 비슷한 습관성 중독, 금단 증상 등 행동증상을 보이기 때문

2. 물질의 종류

1) 알코올: 가장 흔함

2) 아편류(opioid substances): opium, morphine, codeine, heroin, methadone, meperidine

3) 진정수면제 및 항불안제(sedative-hypnotics and anxiolytics)

① barbiturate계 약물: phenobarbital

② 비 barbiturate계 수면제: methaqualone, glutethimide

③ 항불안제: BDZ계 약물(chlordiazepoxide, diazepam)

4) 중추신경자극제(central nervous system stimulants)

① amphetamine계 약물: dextroamphetamine, methamphetamine (필로폰)

② cocaine

5) 환각제(hallucinogen): LSD, marijuana, amphetamine, mescaline

6) caffeine과 nicotine

7) 휘발성 용매, phencyclidine (PCP)

+ 신체적 의존(physical dependence)이 없는 것
  ① 대마계 cannabinoids(marijuana) ② 환각제 hallucinogen (LSD)
  ③ 휘발성 용매 inhalant (부탄가스, 본드) ④ phencyclidine (PCP)

+ 신체적 의존이 흔한 것
  ① 암페타민 ② 항불안 진정수면제
  ③ 아편류 ④ 코카인

+ CNS depressant
  ① 알코올 ② 대마계 cannabinoids (marijuana)
  ③ 진정수면제 ④ 휘발성 용매 inhalant(부탄가스, 본드)

▷ 물질의존이 생기는데 관여하는 신경전달물질: dopamine, serotonin, GABA, opioid

알코올(Alcohol)

알코올 사용장애(alcohol use disorder)

1. 역학

1) 2016년 국내 알코올 사용장애의 평생 유병률은 약 12.2%(남 18.1%, 여 6.4%)
2) 평생 유병률은 남성이 높으나, 여성의 고위험 음주율의 증가가 남성에 비해 크게 증가하고 있음

2. 알코올의 인체 내 약리학적 효과

1) 대사
① 90%는 간에서 대사되고 10%는 신장과 폐로 배설
② 간에 있는 알코올 탈수소효소(alcohol dehydrogenase, ADH)에 의해 아세트알데히드(acetaldehyde)로 산화되고 이는 다시 간뿐 아니라 전신에 존재하는 알데히드탈수소효소(aldehyde dehydrogenase, ALDH)에 의해 아세트산(acetic acid)로 산화
③ 아세트알데히드는 신체에 독성이 있으나 아세트산은 무해
→ 이것을 이용: disulfiram (antabuse) - ALDH 효소를 억제하여 혈중 아세트알데히드 농도를 높임(고통을 야기해 술 안 먹도록 유도)(혐오조건화)

2) 알코올의 혈중 농도에 따른 대뇌에 대한 효과

0.05 g/dL (%)	사고, 판단력 및 자제력 약화, 가벼운 운동실조, 색채 식별력 약화
0.08 g/dL (%)	주의력 감퇴, 주위 식별능력 저하
0.1 g/dL (%)	뚜렷한 운동실조, 언어장애, 사고 위험성 10배 증가
0.2 g/dL (%)	전 운동영역 기능의 현저한 장애, 감정조절에 심각한 장애
0.3 g/dL (%)	감각기능의 심각한 장애, 혼돈, 혼미
0.5 g/dL (%)	호흡억제로 사망 가능

① 치사용량
㉠ 사람에 따라 다르나 체중 kg당 5~8 mg이며, 소아에서는 체중 kg당 3 mg
㉡ 중독 상태는 알코올의 혈중 농도가 상승할 때가 하강할 때보다 심하다.
② 알코올에 의한 기억상실(blackout)
㉠ 필름 끊김 현상
㉡ 취한 상태에서 일어난 일에 대한 진행성(anterograde) 기억장애
③ 알코올의 수면에 대한 영향
㉠ sleep latency는 감소: 쉽게 잠이 든다.
㉡ 수면 구조에 악영향: REM과 4기 수면(깊은 잠)이 감소하며 자주 잠에서 깬다.

④ 알코올의 다른 약물과의 상호작용

: 중추신경억제제인 진정제, 수면제, 항우울제, 항정신병약물, 아편제제 등과 병용투여 시 상승작용에 있어 위험

→ barbiturate, BDZ에 대한 교차내성, 교차의존이 나타남

→ 정신자극제와 병용투여: 알코올의 중추신경계 억제작용을 강화

3. 원인

1) 유전적 요인 : 알코올 관련장애는 주로 유전적인 요인이 많음

2) 사회문화적 요인

① 음주, 취기, 음주 문제에 대한 책임 의식에 관한 사회의 문화적 태도

② 아일랜드 남자에서 높은 비율, 유대 민족에서의 낮은 비율

③ 같은 사회적 집단에서도 예외가 많다는 점에서 사회문화적 이론에는 한계가 있음

3) 정신역동적 이론: 강한 의존욕구와 비의존의 심한 갈등 상황

4. 진단

1) 적절한 평가가 필요. 다른 물질 사용에 대해서도 물어 보아야

2) 알코올 사용장애(alcohol use disorder) DSM-5 진단기준

A. 문제되는 음주 패턴으로 다음 중 최소 2가지 이상의 장애가 12개월 이내에 발생한다.

(1) 거듭했던 알코올 사용으로 직장, 학교 혹은 집에서의 주요 역할 임무를 수행할 수 없게 됨
(2) 신체적으로 해가 되는 상황에서도 거듭된 알코올 사용
(3) 알코올 섭취에 대한 갈망이나 강한 욕구 또는 충동
(4) 알코올의 영향이 원인이 되거나 이로 인해 사회적 혹은 대인관계 문제가 반복적으로 악화됨에도 불구하고 알코올을 계속 사용
(5) 알코올 내성(원하는 효과를 얻기 위해 알코올의 현저한 양적 증가를 요구하거나 동일한 양으로 계속 사용 시 효과가 현저하게 감소된 경우)
(6) 알코올 금단(금단 증상 혹은 금단 완화를 위한 재사용)
(7) 조절 상실(알코올이 종종 의도한 것보다 더 많은 양이 사용되거나 보다 장기간 사용될 때)
(8) 알코올 사용을 중단하거나 조절하기 위해 지속적인 욕구가 있거나 노력해도 성공하지 못하는 경우
(9) 알코올을 얻거나 사용하는 데 필요한 활동 또는 그 효과로부터 회복하는 데 필요한 활동에 많은 시간이 소모될 때
(10) 중요한 사회적, 직업적 또는 휴식 활동을 알코올 사용 때문에 단념하거나 감소될 때
(11) 알코올을 사용함으로써 유발되거나 악화될 가능성이 있는 지속적이거나 재발되는 신체적 또는 심리적 문제를 가진다는 인식에도 불구하고 알코올 사용이 지속될 때

1개 이하: 정상, 2~3개: 중등도, 4개 이상: 중증

5. 치료

1) 일반적으로 3단계로 나뉨

① 개입(intervention)/직면(confrontation): 신체적 · 정신적 평가하여 병식(insight) 갖게

② 해독(detoxification)

㉠ 급성 중독 시 안정 및 충분한 영양공급 및 비타민 B1(thiamine)투여

㉡ 알코올금단 시 lorazepam, diazepam, chlordiazepoxide 등

㉢ 망상, 환각이 있을 때 항정신병약물(대개 haloperidol)을 사용

③ 재활(rehabilitation): 인지행동치료, 사회기술훈련, 행동치료, 동기강화치료, 개인정신치료, 집단치료, 가족치료, 자조집단 등

㉠ 단주에 대한 동기를 반복적으로 고취시킴

㉡ 술을 마시지 않는 새로운 생활습관을 형성하도록 함

㉢ 재발을 예방함

2) 심리사회적 치료: 정신치료

① 질병에 대한 인식

② 가족치료

③ 집단치료: self-help group이 가장 효과적, 단주 모임(alcoholics anonymous)

3) 약물치료

①항주제(antabuse) : **disulfiram**(혐오 자극을 주는 aversion therapy), calcium carbimide

②보상효과 감소(갈망 감소) : **naltrexone** (opioid antagonist), fluoxetine (SSRI)

③ 대체요법 : **acamprosate** (GABA↑)

알코올 중독

1. 알코올 중독(alcohol intoxication)

1) 알코올 중독 증상은 개인차가 크지만 대체로 혈중농도에 따라 심하게 나타난다.

2) 중독 증상 정도는 혈중농도가 하강할 때보다 상승할 때 더 심하다.

3) 단기간의 과음에 의해 대뇌피질이 먼저 억제되어 탈억제(disinhibition) 효과로 다행감, 명랑함, 과대적 기분, 자극과민성, 수다스러움, 집중력 곤란, 성적충동 또는 공격적 성향이 나타난다. 심하면 알코올 중독섬망(alcohol intoxication delirium)이 나타난다.

4) 알코올 중독 DSM-5 진단기준

A. 최근에 술을 섭취함 B. 음주 도중 또는 직후에 발생하는 임상적으로 유의한 문제적 행동 또는 정신적 변화 C. 음주 도중 또는 직후에 다음 중 1가지 이상의 증상 또는 징후를 보임 (1) 어눌한 말투, 언어장애 (2) 협동 운동실조 (3) 보행장애 (4) 안구진탕 (5) 집중 또는 기억의 장애 (6) 혼미 또는 혼수 D. 위 증상 또는 징후가 다른 의학적 이유나 다른 물질의 중독에 의한 것이라고 설명되기 힘들다.

알코올 금단(alcohol withdrawal)

1. 알코올 금단

1) 며칠 이상 장기간의 지속적인 음주 중에, 갑자기 중단하거나 또는 감량하였을 때 나타나는 증후
2) 금주 12~18시간 후에 나타나서 진전섬망(delirium tremens)으로 이행하지 않는 한 5~7일 이내에 자연 소실
3) 전신형 금단 뇌전증발작(withdrawal seizure)이 금단 7~38시간 후 1~6회에 걸쳐 일어날 수 있음.
4) 알코올 금단(alcohol withdrawal) DSM-5 진단기준

A. 장기간의 지속적인 음주 중에 갑자기 중단하거나 감량하였을 때 나타나는 증후이다. B. 음주를 중단 또는 감량한 지 수 시간에서 수 일 이내에 다음 중 2가지 이상 증상이 나타남 (1) 자율신경계 항진(빈맥, 발한, 혈압 상승) (2) 손떨림의 증가 (3) 불면 (4) 오심 또는 구토 (5) 일시적 환시, 환촉, 환청 등 환각 증상 (6) 정신운동성 초조 (7) 불안 (8) 전신강직간대성 발작 C. B 항목에서 언급한 증상 또는 징후가 사회적, 직업적인 영역에서 심각한 장애를 유발한다.

2. 알코올 금단 섬망(alcohol withdrawal delirium, 진전섬망 delirium tremens) ★

1) 임상양상
   (1) **음주 중단 후 1~3일째 시작하는, 섬망이 동반된 금단 증상**
   (2) 전구증상으로 불안, 초조, 식욕부진, 진전, 공포에 의한 수면장애
   (3) **delirium (주 증상)**, tremor, agitation, 자율신경기능항진(빈맥, 발한), 환시 등

2) 진단기준
   : DSM-5에서는 알코올금단(alcohol withdrawal) 지각장애 동반 특정형이라 한다.
   (1) 심한 알코올 섭취를 중단하거나 감소한 후 발생되는 섬망(대개 1주일 이내)
   (2) 섬망과 함께 저명한 자율신경계 항진, 즉 빈맥, 발한, 혈압 상승 등 동반
   (3) 어떤 신체적 혹은 다른 정신장애에 의한 것이 아니다.

3) 치료
   (1) **안정적이고, 익숙한 분위기(적당한 밝기, 가까운 가족 간호 등)**
   (2) 수분, 전해질, 비타민 불균형을 교정
   (3) **benzodiazepine계 약물(lorazepam, chlordiazepoxide) : 금단 섬망 예방 및 치료**

(4) **haloperidol : 환각, 망상 등 정신병적 증상 시 사용**
∵ phenothiazine계 항정신병약물(chlorpromazine) 금기 - 경련의 역치를 낮춰 경련 유발의 위험
(5) **thiamine**과 기타 비타민 보충제 : 부족한 비타민 공급
(6) **magnesium sulfate** : tremor 심할 경우, Mg 결핍

기타 알코올 유도성 장애

1. 알코올성 환각증(알코올 유도성 정신병적 장애, alcoholic hallucinosis)

1) 정의: 알코올의존이 있는 사람이 폭음을 중단 또는 감량한 후 대략 48시간 이내에 의식은 명료한 상태에서 환각을 갖게 되는 경우
2) 발병 시기: 10년 이상 알코올의존 후 40세 전후에서 특징적으로 나타남
3) 경과: 수 시간~수 일 지속되며 보통 1주일 내에 끝난다, 약 10%에서 수 개월 또는 만성 경과
4) 환청: 주로 목소리, 내용은 기분이 좋지 않거나 괴롭히는 것이 대부분
5) 환청 외에 관계망상이나 피해망상이 같이 나타나기도 하는데 망상이 주가 될 때에는 '알코올 유도성 정신병적 장애, 망상형'이라고 한다.
6) 감별: 조현병에 비해 증상이 나타나는 기간이 짧고, 알코올 금단 섬망에 비해 의식이 명료
7) DSM-5에서는 알코올 유도성 정신병으로 보고(조현병 스펙트럼 및 기타 정신병적 장애 분류에서 물질/약물 유도성 정신병적 장애 중 하나), 환각형과 망상형을 따로 구분하지 않음
8) 치료: 항정신병약물

2. 알코올 유도성 지속기억장애(alcohol-induced persisting amnestic disorder)

1) 원인
: 지속적인 과음에 의한 비타민 결핍(특히, thiamine, niacin)에 의한 유두체, 시상, 뇌간 등 괴사
2) Wernicke encephalopathy, 만성 주정 중독
① triad (acute state): amnesia, global ataxia, 안구운동이상(nystagmus, gaze palsy)
② Korsako 증후군으로 진행 가능
3) Korsakoff psychosis
① 건망증(특히 전향성)
② 작화증
③ 지남력 장애
④ 다발신경염(말초신경염)
4) 치료
: 대량 thiamine★(하루 200~300 mg thiamine hydrochloride)으로 조기에 치료

① 조기에 투여하면 알코올성 건망증을 예방할 수 있음
② 반드시 thiamine 먼저 투여!
③ 포도당을 먼저 투여한 경우 Wernicke를 촉진할 수도 있으며 심혈관계 beriberi를 유발할 수도 있음

5) 예후
: 일단 발병하면 회복이 어려움

3. 알코올 유도성 지속성 치매(alcohol-induced persisting dementia)

1) 장기적인 음주와 관련되어 나타난 치매
2) 35세 이전에는 드물다.
3) 알코올 중독이나 금단에 의한 효과를 감별하기 위해 금주 후 3주가 경과한 후에 진단 내림

4. 알코올 유도성 기분장애(alcohol-induced mood disorder)

1) 며칠간 과음 후에 나타나는 주요우울장애 같은 우울증이나 조증. 금주하면 회복됨
2) 알코올 중독 환자의 1/4~2/3에서 일생동안 2차적 우울증을 겪을 수 있음이 보고되고 있음
여성 알코올 중독자에서 우울증이 더 많음
3) 알코올 중독과 주요우울장애를 동시에 갖고 있는 경우 자살시도 가능성 높음
4) 양극성장애의 조증 때 음주량이 우울증 때보다 더 많아짐

아편류(Opioid substances)

1) **종류 : morphine, codeine, heroin, methadone, pethidine**
2) 신체적 영향 : 호흡억제, 동공수축, 변비, 혈압, 심박수, 체온 변화
3) 중독
① **증상 : 진통, 축동, 서맥, 저혈압**, 식욕상실, 성욕상실, 졸음, 오심, 구토, 변비
② **치료 : naloxone (opiate antagonist)**
4) **금단**
① **증상** : **동공산대, 고혈압, 빈맥, 오심, 구토, 설사, 하품, 눈물, 콧물, 피부 소름**
② **치료 : methadone** 유지요법

대마계(Cannabinoids,Marijuana)

1) **내성과 금단 증상은 적은 편**이며, 일부 국가에서는 만성 통증, 항암제로 인한 오심, 다발경화증 등 의학적으로도 사용하는 경우도 있음
2) 중독 증상 : **결막충혈**, 식욕증가, 성욕증가, 구갈, 빈맥, 이인증
3) **'무동기 증후군(amotivational syndrome)'** : 장기간 고용량 사용 시 무감동, 무기력, 게으름 등 나타나 학교나 직장생활의 적응의 어려움

Benzodiazepine 계열 약물

1) 알코올 등 다른 물질을 같이 악용↑ : 알코올 금단 증상이 있을 때 이 약물을 사용 → 의존성 위험↑
2) 의존성의 위험인자 : 고용량 사용, **알코올 남용의 기왕력**(∵ 교차내성), 노인, 4개월 이상 장기 투여
3) 금단증상 : 불안, 불면, 자율신경계 항진, 경련과 망상 → 금단증상을 예방하기 위하여 천천히 tapering
4) 중독
   ① **증상 : 졸림, 진정, 보행실조, 저혈압, 심장/호흡기능 억제, 착란**
   ② **치료 : flumazenil (benzodiazepine antagonist)**

암페타민(Amphetamine)

1) 종류 : amphetamine, methamphetamine
2) 약리작용 : neurotransmitter (dopamine) 유리↑, ADHD와 narcolepsy 등의 치료에 사용
3) 중독
   ① 높은 각성을 요하는 직업에서 많이 나타남, 살을 빼기 위한 목적에 사용
   ② 증상 : **psychomotor activity 항진, 식욕감소, psychosis**
4) **amphetamine psychosis**
   ① 증상 : 관계 망상, 피해 망상, 과대 망상, 환청, 환시, 과격한 폭력 행동
   ② 감별(망상형 조현병) : 추상능력 보존, 괴이하지 않음. 병의 경과가 짧음. 환시 많음

③ **치료 : haloperidol**

5) 금단 증상 : 우울증, 악몽, 과민성, 피로감, 과면 또는 불면, 두통, 근육통

기타

코카인(cocaine)

1) 중독 증상: amphetamine과 유사
   ① 고양, 다행감, 능률 상승의 느낌, 인지기능 개선 및 자신감
   ② cocaine-induced psychotic disorder: 중독 시 피해망상, 성욕증가, 환청, 괴상한 행동 폭력
   ③ 코카인 흡입제를 장기 사용 시, 비점막의 반복 자극으로 비강 내 충혈, 비중격 천공도 나타남
   ④ 장기간 사용 시 급성 근육긴장이상(dystonia), 틱, 편두통 증상
   ⑤ 고용량: 초조, 과민성, 판단력 손상, 충동적이고 위험한 성적 행동, 공격성, 정신운동활동성 증가, 조증 증상, 빈맥, 고혈압, 동공확장, 경련, 호흡기능저하, 뇌혈관질환, 심근경색증

2) 금단 증상
   ① 피로, 불쾌감, 수면장애, 약물에 대한 갈망, 우울감을 호소할 수 있으나 신체적인 불편감은 없음
   ② 2~4일째 극도에 달하고 1~2주가 지나면 사라질 수 있고, 오랜 시간이 필요해도 수면장애, 기분 증상, 인지기능은 완전히 회복될 수 있음

휘발성 용매

1) 뇌에 직접적인 손상 → **기억력 감퇴, 학습능력 저하, 반사 기능 저하**, 치매, 대뇌 위축
2) **골수조직에 영향을 주어 골수기능저하**로 인한 재생불량성빈혈 및 백혈병
3) 신장/간기능 장애, 호흡/심장마비

Phencyclidine (PCP)

1) glutamate receptor의 일종인 NMDA receptor antagonist로 PCP 투여 시 조현병과 비슷한 증상을 보여 조현병의 새로운 가설로 glutamate 등장
2) 신체적 의존 없으나 내성은 생김

3) 단기 효과는 3~6시간 가고 장기적 효과는 수 일간 지속
4) 급성 PCP 중독 증상: 정신과적 응급
 ① 환각제와 달리 말로 진정이 안 됨
 ② haloperidol과 BDZ 사용
 ③ 급성 중독 증상: 지남력 장애, 환각, 착란, 불안, 격정, 섬망, 조증, 혼수상태, 공개적 자위행위, 폭력, 요실금, 울부짖음, 부적절한 웃음, 회복 후 기억 못 함

환각제 Hallucinogens (LSD)

1) serotonin receptor에 partial agonist로 작용
2) 신체적 의존현상이나 습관성 중독현상이 없어 장기간 남용이 드묾
3) 신체적 의존이 없어서 금단 증상은 없음
4) 중독 증상: hallucinogen persisting perception disorder
 ① 환각제 장기 복용자가 한동안 약물을 복용하지 않은 상태에서 나타남
 ② 증상: 색깔이나 촉감이 풍부하게 느껴짐, 청각, 후각, 미각 등의 고양, 시공의 개념이 변함, 다행감, 기하학적인 환시, 착각, 현실감 상실, 감정의 격변, synesthesia(음악소리가 색깔로 보임 등의 감각변형)
 ③ 잊었던 어릴 적 기억 회상, 과거경험 재경험, 종교적, 철학적 통찰의 느낌, 이인증, 외부세계로 합일, 피암시성 및 예민성 증가, 자살, 살인충동 유발
 ④ 대부분은 병식이 있어서 말로 진정이 됨
 ⑤ 신체적으로 교감신경계 작용

니코틴(nicotine)

1) 니코틴 의존은 흡연을 격려하는 강한 사회적 요소와 담배회사의 광고에 의해 증강됨
2) 약리작용
 ① 뇌의 니코틴성 아세틸콜린 수용체는 니코틴의 의존성과 흡연 욕구 강화 효과에 관여
 ② 니코틴이 수용체에 결합, 활성화되면 도파민이 유리, 분비된 도파민은 뇌의 쾌감중추를 자극하여 보상감각을 일으킴(흡연의 만족감↑)
 ③ 혈중 반감기는 2시간, 담배연기 내 일산화탄소↑
3) **금단**증상
 ① 담배 갈망, 긴장, 불안, 입맛/체중↑,
 ② 90~120분부터 나타나기 시작하여 **24~48시간에 최고조**(수 주~수 개월 지속되기도 함)

4) 치료

① **nicotine patch, bupropion**

② **varenicline**

- 니코틴성 아세틸콜린 수용체에 결합하되, 부분적으로 활성화하여 도파민을 부분적으로 분비시킴으로써 흡연욕구와 금단증상을 해소하는데 도움
- 니코틴이 수용체에 결합하는 것을 방해하여 흡연으로 인한 즐거움을 느낄 수 없게 함

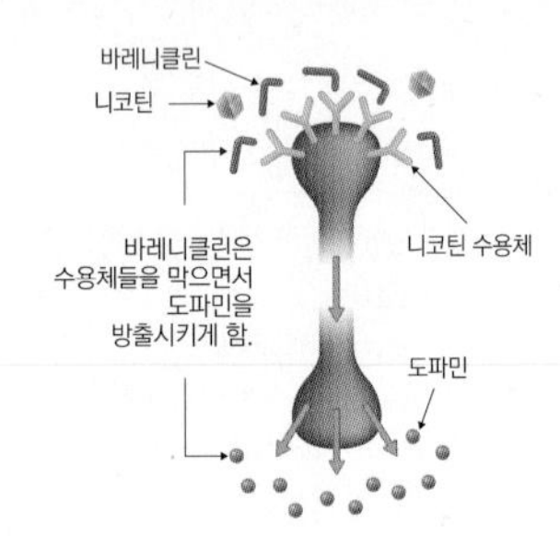

도박장애(gambling disorder)

1) DSM-5의 물질 관련 및 중독 장애 분류 중 유일한 비물질(non-substance) 장애
2) 정신분석적 견해로는 도박 행위를 피학적이고 강박적인 인격성향, 흥분의 추구, 권위에 대한 도전, 우울감을 없애려는 노력 등으로 해석
3) 세로토닌 및 노르에피네프린을 비롯한 여러 가지 신경전달물질이 관여
4) 복측 피개부(ventral tegmental area)- 측핵(nucleus accumbens)- 안와 전전두엽(orbital prefrontal cortex)로 이어지는 **충동조절회로에 이상**이 있다는 학설이 제기

성격장애(Personality disorder)

1. 개념

1) 성격(personality)

: 광범위한 사회적 · 개인적 생활 속에서 나타나는, 환경과 자기 자신에 대해 지각하고 관계를 맺고 생각하는 지속적인(고정된) 방식. 자신(self)과 대인관계(interpersonal) 측면에서 기능한다.

2) 성격장애

: 한 개인이 지닌 어떤 성격경향이 대부분의 사람에서 발견되는 평균 범위의 수준을 벗어나 편향되어 있기 때문에 현실에 적응하는데 있어서 자신에게나 사회적으로 중요한 기능 장애를 초래한다. 문제 특성이 지속적으로 나타나게 되는데, 주로 청소년기 또는 초기 성인기에 시작하여서 여러 상황에서 일관되게 나타나게 된다.

3) DSM-IV에서의 인격장애가 DSM-5에서 성격장애로 대치되었다. 이는 최근의 개념변화와 역사적 · 과학적 · 인도주의적 측면에서 인품이나 보편적인 인간성의 의미가 보다 크게 부각된 인격이라는 용어보다 개인이 갖고 있는 고유의 성질이나 품성이라는 성격으로 번역하는 것이 더 적절하다고 보았기 때문이다.

2. 분류★

Cluster A	Cluster B	Cluster C
paranoid (편집성/망상성) schizoid (조현성) schizotypal (조현형)	antisocial (반사회성) narcissistic (자기애성) borderline (경계성) histrionic (히스테리성)	obsessive-compulsive (강박성) dependant (의존성) avoidant (회피성)
괴이하고 별남	극적이고 감정적이고 변덕스러움	불안과 두려움

3. 5요인모델(five factor model)

: 정상 성격에 대한 차원 분류 → 성격장애는 5가지 영역의 부적응적인 변형들로 보기도 한다.

1) 신경증성(neuroticism): 불안하고, 부정적이며, 감정적임
2) 외향성(extraversion): 외향적이며 긍정적임
3) 개방성(openness): 탐구적이고, 지적이고, 창의적임
4) 동조성(agreeableness): 협조적이며, 믿을만함
5) 성실성(conscientiousness): 책임감 있고, 참을성이 있음

4. 기질 및 성격

1) 기질(temperament) 차원: 4가지 기질 성향. 정동 및 감각적 지각을 윤색함
   ① 새로움을 찾는 경향: 새로운 것, 보상에 대해 접근
   ② 회피성 경향: 벌 신호에 대해 행동을 억제
   ③ 보상의존성 경향: 사회적 보상을 받는 행동을 유지
   ④ 완고 경향: 좌절, 피로 및 간헐적 보상에도 불구하고 행동을 유지
2) 성격(character) 차원: 3가지 성격 성향. 기질에 의해 윤색된 것의 의미를 수정함
   ① 자기-방향성(자율적 인간으로서의 자기개념): 책임감, 신뢰, 목표지향적, 자신감
   ② 협조성(인간과 사회의 핵심적 일부로서의 자기개념): 공동체 의식, 양심
   ③ 자기-초월성(전체적 우주 속에서 자신을 얼마나 중요한 일부로 여기는지)
3) Personality는 기질과 성격 사이의 상호작용을 담당하는 복잡한 적응 시스템

5. 감별진단

: 성격장애와 신경증적 장애의 감별

	성격장애: 주변사람이 괴로움	신경증적 장애: 자신이 괴로움
1. 포함되는 인격의 범위	광범위 대인관계, 사회생활이 독특하고 나름대로 일관성이 있고 예측가능	인격의 일부분만 관여, 일관성이 없고 일과성인 경우가 많다.
2. 환경에 대한 관계	환경 수식적(alloplastic) : 자신에 맞추어 환경을 바꾸고자 노력했던 결과로써 증상이 발생	자기 수식적(autoplastic) : 환경에 대해 자신을 현화시키고자 한다.
3. 자아에 대한 인식 및 치료에 대한 반응	자아동조적(ego-syntonic) : 자신의 성격을 용납하려는 경향, 불편하게 느끼지 않고 스스로 치료받으려 하지 않는다. 치료에 저항, 회피적임 예외) 경계성 성격장애 - 자아이질적, 치료원함	자아이질적(ego-dystonic) : 증상을 스스로 불편해하고 용납하려 하지 않으며 스스로 도움을 받고자 한다.

6. 치료

1) 성격장애 환자는 대개 자기 자신의 성격에 대해 바꾸고자 하는 욕구가 적고 자아동조적(ego-syntonic)이므로 치료를 받으려는 의지가 적으며, 환경을 바꾸고자 하는 특징이 있음
2) 기본적 치료원칙: 총괄적 치료 개념이 적용
   ① 환자의 행동에 대한 설명보다는 행동 자체에 초점
   ② 끈질기게 되풀이되는 불평은 듣지 말아야 한다. 주위 세상에 대해 불평할 때에는 주위의 사건들에 대처하는 그들 자신의 역할에 초점을 두고 지시
   ③ 치료자는 환자에게 또는 환자를 위해서라기보다는 환자와 함께 무엇인가를 수행하고 있다는 자세로서, 치료자와 환자의 관계를 협력자로서 유지
   ④ 치료자는 자신이 구원자라는 환상에서 벗어나야 함
   ⑤ 치료자나 환자의 안전 또는 치료의 결과를 위협하는 어떠한 행위도 처음부터 제한하여야 한다. 특히 환자가 자신의 의사와는 관계없이 입원되었을 때나 환자가 치료자를 구원자나 친구로 생각하려고 할 때는 더욱 유의
   ⑥ 치료자는 환자에게 꾸짖거나 벌주는 방법을 사용하지 말아야 하며 환자의 행동 결과에 대해 무조건 보호하려고만 해서는 안 됨
   ⑦ 치료자는 치료 과정에서 일어날 수 있는 여러 힘든 점을 잘 극복하고 자신을 지탱할 수 있어야 함
3) 치료를 통해 성격장애의 측면이 서서히 개선될 수 있다는 연구가 있음(특히 경계성 성격장애)
   ① 정신치료(정신역동적/대인관계 정신치료, 인지행동치료, 지지적 치료)는 치료받지 않은 경우에 비해 분명히 효과적
   ② 약물치료: 세로토닌계 약물, 기분안정제 등(충동성, 공격성 등 행동), 항정신병약물(정신병적 증상)

특정 성격장애(Specific personality): Cluster A

편집성 성격장애(paranoid personality disorder)

1) 정당한 이유 없는 **지속적인 의심과 불신** : 배우자에 대한 병적 질투심, 의처증, 의부증
2) 배우자나 sexual partner의 정절을 의심
3) 소송을 좋아함(소송 및 민원광). 경직되어 있고 냉담함
4) 자신의 성격이나 평판에 대해 공격으로 지각하고 곧 화를 내고 반격함

5) 부모에 대한 불합리한 분노를 다른 사람에게 투사, 복수의 의미로 반사회적 행동

조현성 성격장애(schizoid personality disorder)

1) **타인에 대한 무관심**, 외톨이, 사회로부터 분리, 정서적 냉담
2) 일생 동안 **사회로부터 withdrawal**, 빈약한 정서, 외톨이, 정서적으로 냉담하고 무관심
3) 친밀한 인간관계를 형성하려는 욕구(-), 성생활은 공상에 의존
4) 사고, 행동의 기이한 면은 없음

조현형 성격장애(schizotypal personality disorder)

1) 친밀한 관계를 매우 불편해하고 관계 형성의 부족
2) 이상한 믿음, 마술적인 사고, **이상한 지각경험, 인지적 왜곡과 지각적 왜곡**이 흔함
3) 편집적인 사고, 부적절하고 제한된 정동, 기이하고 편향된 행동

특정 성격장애: Cluster B

반사회적 성격장애(antisocial personality disorder)

1) **비도덕적, 충동적, 타인의 권리 경시 및 침해, 반사회적, 범죄 연관**
2) 거짓말, 태만, 가출, 도둑질, 싸움, 알코올중독, 약물중독, 불법행위 ↑
3) 40세 이후에 많이 경감되나 결혼문제, 물질남용, 충동성, 신용상의 실패는 지속

경계성 성격장애(borderline personality disorder)

1) **불안한 정동과 정서, 충동 조절의 어려움, 만성적인 공허감, 우울감, 반복적인 자살충동 및 자해시도, 불안정한 대인관계**
2) 상대방을 과대 이상화와 평가절하(양극단적인 대인관계) - **분리(splitting)** 방어기제
3) 간헐적인 환각과 현실판단력의 손상을 보일 수 있음

히스테리/연극성 성격장애(histrionic personality disorder)

1) 여성에서 더 많이 나타나며, 주위 사람들에게 **지나치게 관심을 끄는 행동**을 함
2) 자신이 주목받지 않거나 인정받지 못할 때에 불편해 함
3) 대인관계는 피상적인 경향이 있고, 허영심이 있고, 자기 중심적이고 변덕스러움

자기애성 성격장애(narcissistic personality disorder)

1) **자신의 재능, 성취도, 중요성에 대한 과대 느낌, 자기중심적**, 타인의 **공감 결여**
2) 계속적인 관심과 칭찬을 요구(인정욕구, 과도한 숭배를 요구)
3) **사소한 비판에 대해 민감하게 반응**하여 분노, 수치, 모욕 등을 느낌

특정 성격장애: Cluster C

회피성 성격장애(avoidant personality disorder)

1) 여성에 호발, 사회공포증을 동반하기도 함
2) **사회적으로 위축되고, 억제**되어 있으며, 자신에 대한 부정적인 평가에 과민함
3) **친밀한 관계를 원하지만 상대의 부정적인 평가에 지나치게 민감**하여, 조건 없는 확고한 보장이 없는 한 대인관계나 사회적 관계를 가지지 못함

의존성 성격장애(dependent personality disorder)

1) 스스로 노력하지 않고 **타인에게 의존하며, 매달리는 행동**
2) **돌봄을 받고 싶어 하는 광범위한 욕구**, 남에게 의존하려는 욕구가 강함

강박성 성격장애(obsessive-compulsive personality disorder)

1) **질서, 완벽성, 통제에 집착하고, 고집이 세고 완고하며 융통성 없이 세밀함에 집착**
2) 과다하게 양심적이고, **정서적 반응을 잘 나타내지 않고**, 친밀한 관계를 회피함
3) 강박장애와 달리 **자아동조적(ego-syntonic)**

22 CHAPTER 지적장애

지적장애(Intellectual disability)

1. 개요

1) 지능지수가 IQ 70 이하로 유의하게 낮음
2) 개인이 처해있는 환경과 그 연령에 따른 자립성과 사회적 책임감의 기준에 미달하는 적응 수준

2. 역학

: 1~3% 정도로 보고되며, 남녀비는 약 1.5:1로 남자가 더 많음

3. 원인

1) 유전적 요인: Down 증후군, Fragile X 증후군, PKU 등
2) 임신 및 주산기 장애: 산전 및 산후 뇌감염, 태아 영양실조, 조산 및 미숙아, 출산시 저산소증, 뇌손상, 핵황달 등
3) 소아기의 질환: 선천성 갑상선기능저하증, Marfan 증후군, 신경섬유종증 등
4) 환경적 영향 및 정신장애

4. 분류(ICD-10)

정도	IQ	학령기 교육	특징
경도(mild)	**50~69**	**9~12세** (초등 6학년 수준)	**교육 가능** **독립 생활 가능**
중등도(moderate)	**35~49**	**6~9세** (초등 2학년 수준)	**훈련 가능** **단순 작업 가능**
중증(severe)	20~34	3~6세	완전 보호 전적 감독 하에 자기 유지 가능
심한(profound)	20 미만	3세 이하	완전 보호 전적인 보호 요함

5. 치료

1) 지적장애 자체보다는 이차적인 정신질환, 후유증 및 **사회적응에 대한 치료**가 필수적
2) 개인정신치료를 포함한 가족치료와 행동치료 및 약물치료, 기타 합병증을 치료

6. 경과 및 예후

1) 중요 예후인자: 정신연령에 따른 일상생활의 기능을 수행하는 능력
2) 경도의 장애는 도움을 받으면 상당한 수준의 독립된 생활 영위 가능, 중등도 장애는 부분적으로 독립된 생활 가능, 고도와 최고도 장애는 도움이 필요하고, 독립된 생활의 영위는 어려움.

23 CHAPTER 소아청소년 정신의학

소아청소년 시기의 정신건강과 정신병리

1) 성인의 기준을 직접적으로 적용하기 어렵고, 나이와 발달 수준을 고려하여 적용
2) 해당 단계에서의 적합한 발달과제를 성취하지 못하여 발달이 정지, 지연, 왜곡되었는지 평가
3) 발달 과정 중 나타날 수 있는 일시적인 증상이거나 임상적 의미 없는 증상일 수 있음
4) 나이와 성별, 생활변화, 스트레스, 살고 있는 지역에서의 사회문화적 배경, 문제의 영향력 등을 고려

소아청소년 시기의 정신치료 시 성인치료와의 차이점

1) 발달학적 이해에 기반을 두고, 생물학적 및 환경적 영향의 상호작용 발생을 고려하여 치료 계획 수립
2) 본인 동의와 함께 법적 보호자로부터의 동의 필요
3) 성인과 마찬가지로 생물학적, 심리적, 사회적 존재로 보고 맞춤식 치료 접근
4) 소아청소년의 문제는 그가 속한 사회적 체계의 문제점을 반영할 수 있음을 고려하여 주의할 것

의사소통장애(Communication disorders)

: DSM-5에서 의사소통장애는 지역사회에서 공유되는 언어적 · 비언어적 및 문자 상징과 체계를 인지하고 표현 · 처리 · 이해하는 능력에 장애가 생긴 것으로 개념화하고 있으며, '사회적(실용적) 의

사소통장애'가 새롭게 추가되었다.

언어장애

1. 언어장애(language disorder)

: 언어에 대한 이해와 표현 능력에 있어서 습득과 사용에 지속적인 어려움

1) 학령전기에서 발달 기능 중 가장 흔하게 나타나는 문제는 언어발달의 문제
2) 남아가 여아에 비해서 2~5배 많음
3) 부분적 청각장애 가능 → 반드시 청력검사를 통해 기질적 원인 감별 필요
4) 동반장애: 학습장애, ADHD, 불안장애, 우울장애 더 잘 동반

2. 말소리장애(speech sound disorder)

: 부적절 혹은 분명치 못한 발음(음소를 생략, 왜곡)

1) 자음의 발음에서 흔함: ㅅ, ㅆ, ㅈ, ㅊ 등을 잘못 발음
2) 2~3개의 음소장애는 저절로 회복되나 8세 이후 자연회복은 드묾
3) 5세 이후에도 발음장애 지속 시 언어치료
4) DSM-IV-TR에서는 6~7세 소아의 2~3%에서 음성장애가 있다고 보고

3. 아동기 발생 유창성 장애(말더듬증)

: 연령에 적합하지 않은 유창성과 시간 패턴의 장애

1) 남아, 가족력, 2~7세에 호발
2) 호흡훈련, 이완요법, 언어치료. 정서장애 동반 시 개인정신치료, 가족치료

4. 사회적 (실용적) 의사소통장애 (social communication disorder)

1) DSM-5에 포함된 새로운 개념. DSM-IV 등 과거 흔히 전반적 발달장애 NOS (PDD-NOS) 한 부분으로 진단되었던 장애
2) 자폐스펙트럼장애의 2가지 증상 중, 사회적 의사소통과 상호작용의 장애는 심하게 있으나, 제한적 반복행동패턴은 없는 경우를 분리하여, 사회적 의사소통장애로 명명함
3) 언어적 및 비언어적 의사소통을 잘 못하여 사회적 관계와 담론에 대한 이해의 발달이 저해됨. 이는 단어 사용이나 문법 문제 또는 일반적 인지능력의 장애가 아님
4) 치료: 사회기술훈련 또는 사회적 인지기능 증진훈련 등을 통해 사회적 상호작용을 개선

자폐스펙트럼장애(Autism spectrum disorder)

자폐스펙트럼장애(autism spectrum disorder, ASD)

1. 개념

1) **사회적 상호작용의 질적 장애, 의사소통의 장애, 상동적 행동 및 흥미와 관심 범위의 제한이 주요 문제로 나타나는 신경발달 장애**
2) 유병률: 1,000명당 13.1명 (1.31%), 국내 연구에서는 2.64%까지도 보고됨
3) 남자가 3~4배 많음
4) 일반적으로 모든 인종, 사회경제적 수준에서 비슷한 유병률을 보임
5) 염색체이상, 뇌의 구조적, 신경생화학적 이상, 뇌손상이나 감염 등 신경생물학적 이상이 주 원인으로 추정

2. 임상양상

1) 사회적 상호관계의 질적 장애
   ① 가족을 포함하여 타인과 사회적 관계 발달하지 못함
   ② 유아기 때 사회적 웃음(social smile)이 드물며 눈맞춤 피하고 혼자 지내려 함
   ③ 사람에는 관심이 없고 사람이 아닌 대상에 관심을 보임
   ④ 애착 행동이 별로 없고 낯선 사람 불안이나 이별 불안이 없는 경우가 많음
   ⑤ 사회성 부족의 결과로 대화 어렵고 다른 사람에 대한 관심, 공감이 부족함
2) 의사소통 및 언어장애
   ① 언어 발달에 장애
   ② 인칭 대명사를 제대로 사용하지 못하거나 반향 언어(echolalia)를 보임
   ③ 특히 언어적 기능이 저하되어 있다.: 약 40%에서는 평생 동안 언어발달이 이루어지지 않음
3) 행동 및 정서장애
   ① 상동 행동을 반복적으로 나타내는데 손가락 튕기기, 빙글빙글 돌기가 흔함
   ② 주위 환경 변화에 대한 저항이 많아 새로운 환경, 경험을 받아들이지 않고 똑같은 것을 고집하는 경향
   ③ 아동의 놀이는 단순, 반복적, 비사회적. 상징성도 결여
   ④ 산만하고 부산하여 가만히 있지 못하고 머리 박는다거나 물거나 살갗을 할퀴는, 자해행동도 과다활동으로 보임.
   ⑤ 갑작스러운 기분 변화, 이유없이 울거나 웃음

4) 지적장애 - 70~85%에서 동반 (ASD의 40~50%는 IQ 50~55 이하)

3. 진단: 자폐스펙트럼장애의 DSM-5 진단기준

A. 사회적 의사소통과 사회적 상호작용의 지속적인 장애로, 여러 영역에 걸쳐서 나타난다.
  (1) 사회적 · 정서적 상호작용의 장애
    a. 부적절한 사회적 접근과 정상적인 대화의 주고받기를 하지 않는 것
    b. 관심사, 감정 혹은 애착의 공유가 적은 것
    c. 사회적 상호작용을 시작하거나 응답하지 못하는 것
  (2) 사회적 상호작용을 위한 비언어적 의사소통 행동의 장애
    a. 언어적 의사소통과 비언어적 의사소통이 잘 통합되지 않는 것
    b. 눈 맞춤과 몸짓의 이상이나 몸짓을 이해하고 사용하지 못하는 것
    c. 표정이나 비언어적 의사소통이 전혀 없는 것
  (3) 관계를 갖고 유지하고 이해하는 것의 장애
    a. 다양한 사회적 상황에 맞춰 행동을 조절하지 못하는 것
    b. 상상놀이를 하거나 친구를 만드는 데 어려움을 보이는 것
    c. 또래에 대한 관심이 없는 것
B. 행동, 관심 혹은 활동이 한정되고 반복적인 양상으로 다음 중 최소 2개로 나타남
  (1) 상동적이고 반복적인 행동, 물건의 사용, 혹은 말
    a. 간단한 운동상동증
    b. 장난감을 줄 세우거나 물체를 뒤집는 행동
    c. 반향 언어, 기이한 구절
  (2) 같음에 대한 고집을 부리거나, 관습을 완강하게 고수하거나, 언어적 혹은 비언어적 행동의 관습적 사용
    a. 작은 변화에도 매우 스트레스를 받고, 변화를 힘들어함
    b. 사고에 융통성이 없음
    c. 관습적으로 인사를 하거나, 매일 같은 길로 가거나, 매일 같은 음식을 먹어야 함
  (3) 매우 한정적이고 고착된 관심사를 보이며, 그 강도나 초점이 비정상적임
    a. 특이한 물체에 강한 애착을 보이거나 몰두
    b. 과도할 정도로 국한되거나 집요한 관심
  (4) 감각적 자극에 대해 과도하게 크거나 작은 반응성, 혹은 환경의 감각적 측면에 대한 특이한 관심
    a. 통증이나 기온에 대한 무관심
    b. 특이한 소리나 감촉에 대한 혐오반응
    c. 물체를 과도하게 냄새 맡거나 만지는 행동
    d. 빛이나 움직임에 대한 시각적으로 매혹
C. 증상은 초기 발달시기에 발생 (그러나 어려움은 사회적 의사소통 요구가 능력치를 초과할 때까지 분명하게 나타나지 않을 수 있다.)
D. 증상은 사회적 · 직업적 혹은 다른 중요한 영역에서 임상적으로 유의한 장애를 일으킨다.
E. 지적장애(지적발달장애) 혹은 전반적 발달지연으로 설명되지 않는다. 지적장애와 자폐증 스펙트럼장애는 흔히 병발한다. 동시 진단하기 위해서는 사회적 의사소통 능력이 전반적 발달수준에 비해 더 낮아야 한다.

특정성 - 현재 심각도(사회적 의사소통장애 및 행동의 제한된 반복성 양상에 근거)
  : 지지요함, 상당한 지지요함, 매우 상당한 지지요함 등으로 평가
특정형 - 지적장애 동반여부, 언어장애 동반여부, 알려진 의학적/유전적 상태 또는 환경적 요인과의 관련성, 다른 신경발달장애/정신장애/행동장애와의 관련성, 긴장증 동반

4. 치료

① 발달 전반에 거쳐 문제가 발생하므로 발달을 균형적으로 증진시킬 수 있는 포괄적, 다원적, 다학제적 치료법으로 접근

② 특수교육 및 행동치료를 통해 행동수정, 언어치료를 하여 행동장애 감소 및 사회기술 습득

③ 공격성, 과잉활동, 주의력 결핍, 정서적 불안정, 상동증, 자해행동 등에 대해 약물치료가 효과적
예: 항정신병약물(risperidone, aripiprazole), SSRI, mood stabilizer 및 psychostimulant

5. 경과 및 예후

① 만성적이며, 좋은 예후 요인이 있어도 대인관계에서의 의미있는 관계형성의 어려움은 지속

② 좋은 예후: IQ 70 이상, 언어 빠르게 습득, 자조 기능이 잘 습득된 경우

주의력결핍과잉행동장애(ADHD)

1. 개념

1) 주의력 부족, 과잉행동, 충동성이 특징인 만성적인 신경발달장애

2) 소아정신과 영역의 가장 흔한 질환 중 하나

3) 전세계적 유병률로는 초등학생 5%, 성인기 2.5%(한국 초등학생 13%, 중고생 7%)

4) 남아에서 2~9배 정도 더 흔함

5) ADHD 아동의 부모와 형제에서 ADHD 유병률이 일반인에 비해 2~8배 높음

6) 보통 3세 이전에 나타나나, 규칙적인 생활을 시작하는 유치원/초등학교 시기에 진단 이루어짐

2. 임상양상

1) 신생아 및 걸음마기

① 신생아 때부터 움직임 많고 잠을 잘 자지 않고 까다로움

② 걸음마기 이후 행동 많고 부산하며 하나의 놀이에 집중하는 시간이 짧고 위험한 행동을 하여 쉽게 다치거나 사고를 당하기도 함

2) 유치원 및 사춘기 이전 시기

① 유치원, 학교 등 질서, 규칙을 지켜야 하고 비교적 긴 시간 가만히 있어야 하는 것을 요구받는 환경에서 증상이 더욱 드러나서 움직임이 많고 딴짓하고 실수가 많고 과제 집중력이 떨어짐

② 사소한 자극에도 쉽게 주의가 분산되며 감정 조절하지 못하고 화를 잘 내고 친구와 자주 싸우며 참을성 없고 행동이 앞서는 경향

③ 학교, 주위에서 산만하다, 외향적, 개구쟁이, 철이 없다, 어리다, 눈치 없다, 아무 생각 없고 말을 잘 안 듣는다 등의 평가를 받음

3) 사춘기 시기

① 사춘기가 되면서 과잉행동은 줄어들지만 집중력 저하와 충동성은 여전히 남음

② 학습 흥미저하, 수행저하가 일어나며 컴퓨터 게임, 오락에 쉽게 빠지며 반항적이고 공격적 행동을 보이기도 하며 교사 부모에게 감정적 충돌을 야기하고 또래 관계에서도 문제를 일으킴

③ 좌절감, 분노감, 우울감을 느끼고 부정적 자아상, 공격적이고 불안정한 성격형성으로 이어짐

④ 심하게는 절도, 약물남용, 폭행과 같은 청소년 범죄로 연결

4) 성인기

① 상당수는 증상이 지속

② 좌불안석을 보이고, 지나치게 말 많고 빈번하게 교통사고 나거나 직업 생활 오랫동안 유지 못하고 생각없이 행동, 다혈질적이고 충동적 행동을 보임

③ 학습장애, 불안장애, 기분장애, 물질사용장애가 일반 인구에 비해 더 높은 비율로 나타남

3. 진단: 주의력결핍과잉행동장애의 DSM-5 진단기준

A. 부주의 및 과잉행동-충동성이 지속적 양상으로 있어 다음 (1) 및/또는 (2) 에 의해 특징지어지는 기능과 발달을 방해한다.

(1) 부주의: 다음 중 6개 또는 그 이상의 부주의 증상이 있고, 이 증상이 최소 6개월간 지속되며, 이는 발달 수준과 일치하지 않고 사회적 · 학업/직업적 기능에 직접적으로 부정적인 영향을 끼친다.

① 정밀한 일에 세심한 주의를 기울이지 못하거나, 학업, 직업이나 다른 활동을 할 때 조심성이 없어서 실수를 자주 한다. (예: 세부사항을 간과하거나, 일을 부정확하게 한다.)
② 작업이나 놀이에 계속해서 집중하기 어렵다. (예: 수업/대화/독서 중에 집중 유지가 어려움)
③ 다른 사람이 직접 말하는 것을 귀 기울여서 듣지 않는 것 같다.
(예: 특별히 자극이 없음에도 불구하고 다른 곳을 본다.)
④ 지시대로 따라 하지 못하며 학업, 간단한 일이나 일터에서 직무를 자주 끝내지 못한다.
(예: 시작은 잘 하지만 금방 관심을 잃고 다른 일로 샌다.)
⑤ 작업 및 활동을 조직적으로 하기 어렵다. (예: 순차적인 일을 하거나 자료/물건 정리에 어려움)
⑥ 지속적인 정신력을 요하는 작업을 피하거나, 싫어하거나, 거부한다. (예: 학업, 숙제, 보고서, 검토)
⑦ 작업이나 활동에 필요한 물건을 자주 잃어버린다 (예: 장난감, 숙제, 연필, 책 또는 도구).
⑧ 외부 자극으로 생각이 쉽게 흩어진다.
⑨ 일상적인 활동을 자주 잊어버린다.

(2) 과다활동과 충동성: 다음 중 6개 또는 그 이상의 과다활동-충동적 증상이 있고, 이 증상이 최소 6개월간 지속되며, 이는 발달 수준과 일치하지 않고, 사회적 · 학업/직업적 기능에 직접적으로 부정적인 영향을 끼친다.

과다활동
① 손이나 발을 움직거리거나 몸을 뒤트는 등 가만히 앉아 있지 못한다.
② 가만히 앉아 있어야 하는 교실이나, 다른 장소에서 차분하게 앉아 있지 못한다.
③ 어떤 장소에서 부적절하게 지나치게 뛰어다니거나 기어오른다(청소년이나 성인에서는 안절부절 못한다는 주관적 느낌만으로 나타난다).
④ 놀이나 여가활동을 평온하게 즐기지 못한다.
⑤ 계속하여 쉴 새 없이 움직인다(마치 발동기계가 달린 듯이).
⑥ 말을 지나치게 자주 많이 한다.

충동성
① 질문이 다 끝나기도 전에 불쑥 대답한다.
② 차례를 기다리지 못한다.
③ 다른 사람이 하는 일을 자주 방해하거나 간섭한다(예: 대화를 하거나 게임을 하는데 불쑥 끼어들어 참견한다).

B. 과다활동-충동적 증상이나 부주의증상으로 인한 장애가 12세 이전부터 나타나야 한다.
C. 이런 증상으로 인한 장애가 2개나 그 이상의 환경(학교, 직장, 집)에서 나타난다.
D. 사회, 학업 또는 작업 기능에서 임상적으로 심각한 장애가 있다는 근거가 확실하다.
E. 증상이 주로 전반적 발달장애, 조현병 또는 기타 정신질환의 과정에서 발생되는 것이 아니며, 다른 정신질환(예: 기분장애, 불안장애, 해리장애, 또는 성격장애)에 의한 것이 아니다.

특정형 (부주의와 과잉행동-충동성 중 어떤 증상이 더 많으냐에 따라)
: 주 부주의형(A1만), 주 과다활동-충동성형(A2만), 혼합형(A1 및 A2 모두 맞음), 부분적 완화상태

4. 치료

1) 원칙

① 교육적, 인지행동적, 약물치료가 상호보완적으로 필요

② 일반적으로 증상이 경하거나 주변과의 문제가 심각하지 않을 때는 약물치료 없이 환경 조절

이나 부모상담, 행동수정방법 등을 우선적으로 시행

③ 대개 임상에서는 문제가 비교적 중한 경우가 많기 때문에 약물치료가 많음

2) 약물치료 - 매우 효과적

① **1차 선택약: 중추신경자극제(methylphenidate, dextroamphetamine)**

- **Methylphenidate**

– 국내에서 가장 흔하게 사용, 70~85%에서 과잉행동 및 부주의 호전

- 부작용: 식욕감퇴, 체중감소, 두통, 불면, 복통, 틱 악화, 자극 과민성 등

② **ADHD와 틱장애 공존 시: clonidine, atomoxetine, guanfacine 등**

가족력에 틱 장애 있을 경우 clonidine 유용(methylphenidate는 틱 증상 악화 가능성)

3) 심리사회적 치료

① 다양한 일상생활 문제, 기능 저하는 약물치료만으로 충분치 않음

② 질환과 치료에 대한 교육, 학업수행능력의 지원, 부모양육교육, 학교와 가정에서의 행동 조절, 인지행동치료, 사회기술 훈련 등 포함

5. 경과 및 예후

1) 아동기 중반까지는 호전되지 않고, 12~20세 사이에 주로 호전을 보이나, 대부분 부분적인 호전

2) 60~85%는 청소년기까지 지속되며, 60%는 성인기까지 지속

3) 과잉행동 증상은 사춘기 무렵에 좋아지나, 주의력결핍과 충동성 문제는 지속되는 경향

4) 학습장애, 품행장애, 기분장애 물질 사용 문제 등에 취약

특정 학습장애(Specific learning disorder)

읽기손상 동반 학습장애(specific learning disorder with impairment in reading)

: 지능이 정상이며 지각장애가 없고 정상적 수업을 받았는데도 글자를 인지하지 못하거나, 느리게 또는 부정확하게 글을 읽고, 글을 제대로 이해하지 못하는 경우

1. 임상양상

1) 남아가 여아보다 3~4배 높음 (남아가 행동장애를 많이 보이므로 눈에 잘 띄기 때문)

2) 대개 7세경에 확실히 드러남

3) 철자를 빼먹거나, 더하거나 왜곡되게 읽는 등 오류를 범한다.

4) 활자체를 읽는데 문제가 많고 글을 읽는 속도도 느리고 이해도도 떨어짐
5) 10%에서만 시각장애가 있음
6) 감별진단: 정신지체, 부적절한 학교교육, 시청각기능장애, ADHD, 우울장애 등과 감별

2. 치료

: 정확한 평가와 그에 맞는 교육(특수교육-효과적), 소규모의 구조화된 읽기교육과 집단치료

3. 경과

1) 언어치료를 따로 받지 못하면 초등학교 1학년 끝나도 2~3개 글자만 읽을 수 있다.
2) 3학년 때까지 언어치료 받지 못하면 평생 읽기장애자로 남게 된다.

쓰기손상 동반 학습장애(specific learning disorder with impairment in written expression)

: 나이, 지능지수 및 학력을 고려한 기대치 이하로 쓰기능력에 장애가 있는 것

1. 임상양상

1) 학령기 소아에서 3~10%, 남녀 성 차이는 잘 모름, 가족력이 빈번
2) 단어 선택이 부족하거나 잘못되고 철자법도 부정확하며 글솜씨도 서투름
3) 다른 과목의 학교성적에도 문제가 생기므로 절망감이 생겨 만성우울장애에 빠지기도 함.
4) 읽기장애, 수용성, 표현성 혼합언어장애, 표현성 언어장애, 산술장애, 발달성 조정장애, 파괴행동장애 및 주의력결핍장애와 관련

2. 치료/예후

1) 치료: 특수교육이 가장 좋음
2) 특수교육을 받지 못하면 성인이 되어도 그 증상이 지속됨
3) 질환의 심한 정도, 특수교육을 시작한 나이, 치료기간, 정서장애나 행동장애의 유무에 따라 예후가 달라진다.

수학손상 동반 학습장애(specific learning disorder with impairment in mathematics)

1. 임상양상

1) 지적장애가 없는 학령기 소아에서 약 5%, 여아가 많은 것으로 추측되나 연구조사 중

2) 대체로 8세가 되면 확실하게 나타남
3) 언어적 능력으로 산술용어를 이해하고 산술기호를 바꾸는 것을 못함
4) 지각적 능력으로 기호를 인지하고 이해하며, 뒤섞인 수를 배열할 수 있는 능력이 부족
5) 수리 능력으로 덧셈, 뺄셈, 곱셈, 나눗셈을 기본적 계산방식대로 잘하지 못함
6) 주의력 능력으로 계수를 정확하게 복사하고 계산기호를 따르는 것을 못함
7) 읽기, 표현성 쓰기장애, 조정장애, 표현성 및 수용성 언어장애가 같이 오는 것이 흔하며 철자법, 기억력이나 주의력 문제도 많음

2. 경과

1) 특수치료를 받지 않거나 집중적 특수치료를 받았는데도 개선되지 않는 경우는 지속적 학습장애, 빈약한 자아개념, 우울증 등의 후유증이 온다.
2) 학교거부, 무단결석 등의 행동장애를 유발할 수도 있음

운동장애

발달성 협응장애(developmental coordination disorder)

1. 개념

1) 소근육 운동이나 대근육 운동이 또래 아이들보다 발달이 느리거나 불규칙하고 정교하지 못한 어려움을 겪는 경우
2) 일상생활에서 운동활동(뛰기, 달리기, 공 잡기, 젓가락질, 글씨 쓰기 등)을 정확히 하기 위해 많은 노력을 하게 됨.

2. 임상양상 및 진단

1) 아동의 나이와 지능을 고려해 필요한 운동 협응 능력이 떨어질 때 진단
2) 진단은 병력, 신체 검진, 학교 또는 직장에서의 평가, 표준화된 테스트 등 포괄적 평가

3. 치료

특정 운동과제에 대한 운동지각훈련을 목표로 치료 접근

상동증적 운동장애(stereotypic movement disorder)

1. 개념

1) 다양한 범위의 반복적인 행동들로 대개 발달 초기에 발생
2) 특별한 기능이 없고 때때로 일상생활에 방해가 되는 장애
3) 일시적으로는 2~4세 아동에서 60% 이상 관찰되며, 역학 연구에서는 아동기에서 최대 7% 유병률
4) 호발 연령은 2세경이며, 시간이 지나면서 줄어듦

2. 임상양상 및 진단

1) 전형적으로 율동적인 운동들(손바닥 치기, 입술 빨기, 몸 흔들기, 피부 뜯기, 자기 몸 때리기 등)
2) 하루에도 수차례 발생하고, 수 분 이상 지속되기도 함
3) 의도적으로 행동하는 것이 아니어야 하며, 자해적인 상동운동이 나타나기도 함
4) 손톱 깨물기, 손가락 빨기, 코 후비기 등은 대개 장애를 일으키지 않아 진단에는 포함되지 않음

3. 치료

행동치료(습관역전훈련, 차별강화훈련), 약물치료(비정형 항정신병약물, SSRI 등)

틱 장애: 다음 단원 참고

틱 장애(Tic disorders)

투렛장애(Tourette's disorder)

: 일 년 이상의 기간 동안에 여러 가지 운동 틱과 하나 이상의 음성 틱이 경과 중에 나타남

1. 개념

1) **틱(tic) 특징**

① **갑작스러운, 빠른, 반복적, 또는 비리듬적인 운동(movement) 또는 소리내기(vocalization)**
② 불수의적이며 빠르고 반복적, 불규칙적인 근육의 상동적 움직임이나 발성
③ 시간에 따라서 하루에도 강도 변화
④ 스스로 노력 시 일시적 증상 억제 가능

⑤ 스트레스 시 악화

⑥ 수면 중 또는 한 가지 행동에 몰두할 때 증상 악화

⑦ 몸의 어느 부위에서나 생길 수 있으며, 경과 중에 해부학적 위치가 변화할 수 있음

2) 역학

① 투렛장애의 평생 유병률은 약 1%

②지속성 틱장애는 투렛장애보다 2~4배 정도 많이 발생, 잠정적 틱장애는 5~18% 추정

③ 남 > 여(남성에서 2~4배 더 많음.)

④ ADHD와 높은 연관성(**ADHD 동반시에는 clonidine을 치료제로 사용)**

⑤ **동반장애: ADHD**(40~60%), 강박장애(10~80%), 기타 불안장애, 주요우울장애 등

2. 원인

1) 유전적 원인

-일란성 쌍생아의 경우 53~56%의 일치율을 보임 : 100%가 아니므로 다른 원인의 가능성 시사

2) 환경적 원인

- 임신, 주산기 문제, 약물 사용, 일반의학적 요인, 면역학적 요인, 생활사건 요인 등

3) 신경생리학적 원인

- Cortico-striato-thalamo-cortical tract (CSTC) 회로의 기능 이상과 연관

3. 진단

1) 틱 증상이 18세 이전에 발생

2) 투렛장애(Tourette's disorder): 1년 이상의 운동 및 음성 틱

A. 다양한 운동 틱 그리고 1개 이상의 음성 틱이 존재하며, 이는 꼭 동시에 나타나지 않을 수도 있다. B. 18세 이전에 발병 C. 틱은 첫 발생 이후 1년 이상 지속되었어야 하며, 증상은 악화와 완화를 반복할 수 있다. D. 증상은 약물(예: 코카인)이나 다른 의학적 상태(예: 헌팅턴질환, 바이러스성 뇌염)에 의한 것이 아니다.

3) 지속성(만성) 운동 틱장애 또는 음성 틱장애: 1년 이상의 운동 또는 음성 틱

A. 하나 또는 여러 가지의 운동 또는 음성 틱이 일정기간 있으나, 동시에 있는 것은 아니다. B. 틱은 첫 발생 이후 1년 이상 지속되었어야 하며 증상은 증감을 반복할 수 있고 C. 18세 이전에 발병 D. 증상은 약물(예: 코카인(중추신경자극제))이나 다른 의학적 상태(예: 헌팅턴질환, 바이러스성 뇌염)에 의한 것이 아니다. E. 투렛장애의 진단기준을 만족한 적이 없다.

4) 잠정적 틱 장애: 1년 미만의 운동 또는 음성 틱

A. 단일 또는 다발성 운동 및/또는 음성 틱
B. 틱이 첫 발생 후 1년 이하
C. 18세 이전에 발병
D. 장애가 어떤 물질(예: 코카인(중추신경자극제))의 생리학적 효과 때문이 아니며, 다른 의학적 상태(예: 헌팅턴병, 바이러스성 뇌염 후 상태)에 의한 것이 아니며
E. 투렛장애나 지속적 (만성) 운동 또는 음성 틱 장애의 진단기준을 만족한 적 없다.

발병기간	〈 1년	〉1년
운동 틱	일과성 틱 장애	지속적(만성) 운동성 틱 장애
음성 틱		지속적(만성) 음성 틱 장애
운동 틱 + 음성 틱		투렛장애

4. 치료

1) 일반적인 치료 원칙

① 가장 기본적인 것은 관찰 – 증상을 더 잘 알고, 줄일 수 있는 대처방법 모색 가능

② 초기 치료 초점: 환자와 가족에게 정확한 정보를 제공하여 문제를 이해하도록 도움

2) 약물치료 : 항정신병약물(haloperidol, risperidone 등), clonidine★

① 항정신병약물

- 중등도 이상의 틱에서 사용되는 주된 약물치료
- 효과가 강력하고 일관적
- 대표적인 약물들: haloperidol, risperidone, aripiprazole 등

② α-2 agonist

- 경도나 중등도의 틱 또는 ADHD 동반 시에 사용
- Substatia nigra에서의 도파민의 방출을 감소시키는 작용
- 대표적인 약물들: clonidine, guanfacine

③ atomoxetine: ADHD 동반된 틱 장애에서 사용

3) 행동치료

① **습관역전훈련(habit reversal training)**★

: 틱 행동이 나타나기 직전에 느껴지는 감각을 잘 인식하고, 그 감각이 느껴질 때 틱 행동을 막기 위한 수의적 행동을 하도록 연습

② 노출 및 방지반응 훈련(exposure and response prevention)

5. 경과 및 예후

① 4~7세가 호발 연령

② 증상은 아동기 후반이나 초기 청소년기가 가장 심함

③ 청소년기 후반, 성인이 되며 85%에서 틱 증세 완화

④ 소아에서 보이는 틱 증상의 심각도보다는 ADHD, 강박장애, 충동조절 장애 등과 같은 동반되는 정신의학적 문제가 보다 큰 영향

24 CHAPTER 정신과적 응급(자살 및 난폭행동)

자살(Suicide)

1. 역학

1) 정신과적 응급의 가장 흔함(우리나라는 자살 고위험도 국가)
2) 자살기도는 여자에서 많으나 자살률은 남자에서 2~3배 높음
3) 연령대별 사망 원인 중 우리나라는 10-30대에서 가장 높고, 40-50대에서 두 번째로 높음
4) 노인, 이혼자, 독신자, 자녀가 없는 기혼자에 많음
5) 계절별로는 봄, 여름이 가을, 겨울보다 높음
6) 자살의 가족력, 자살의 기왕력에서 자살↑
7) 질병상태, 정신장애 시 자살↑(우울증, 주정중독, 조현병, 치매나 섬망)
8) 자살시도 후 30%가 재시도, 첫 3개월 이내에서 흔함
9) 12세 이하에서는 드물다. 죽음에 대한 개념을 모름
10) 자살과 가장 연관이 많은 질환은 기분장애(45~70%), 성격장애 환자는 정상인보다 자살률이 높다.

※ 자살 수단: 우리나라에서는 남녀 모두에서 목맴이 가장 많고, 이후 투신, 가스음독, 농약음독 순
미국에서는 총기 발사, 음독, 목맴 순

2. 자살의 위험요소★

1) 45세 이상의 연령
2) 남자
3) 무직
4) 혼란스럽거나 대립적인 가족 배경

5) 이혼 혹은 사별
6) 대인관계에서 갈등이 큼
7) 가정이 불화하거나 파탄이 난 상황
8) 성취도나 통찰력이 낮고, 정서가 불안정하고 통제력이 부족
9) 인간관계가 불안정하고 사회적으로 고립됨
10) 가족들이 무관심하게 대함
11) 만성적 신체질환, 건강염려증이 있음
12) 물질 사용이 과다함
13) 심한 우울증, 정신증, 심한 성격장애, 물질, 알코올 남용
14) 낙관적이지 못하고 희망이 없음
15) 자살 사고가 잦고 지속적이며 정도가 심함
16) 자살 시도가 반복적이고 계획적이며, 구출도가 낮고, 죽으려는 의지가 있음
17) 자살 시도 시, 자기를 비하하며 의사소통에 소극적이며, 쉽게 접근 가능한 치명적 방법 사용

3. 원인

1) 생물학적 원인
   - Serotonin과의 관계가 가장 많이 언급됨
   - CSF에서 5-HIAA의 낮은 농도, 뇌간과 전두엽의 피질에서 serotonin 및 5-HIAA 감소 등

2) 스트레스-취약성 모형
   - 위험요인과 방어요인이 균형을 이루지 못하여서 자살을 시행한다는 모형
   - 위험요인
     ① 자살 성향
     ② 스트레스
     ③ 급성 방아쇠 인자(이별, 상실, 갈등, 경제적 문제, 고민, 부정적이 생활사건, 충격적인 생활사건, 질병의 악화, 자기애적 상처 등)
   - 방어요인
     ① 삶을 긍정적으로 바라봄
     ② 가정이 화목하고 인간관계가 원만하며 의사소통이 원활함
     ③ 매사에 적극성을 띔
     ④ 생활 습관이 바람직함

3) 사회학적 원인: 에밀 뒤르켐(Emile Durkheim)의 자살의 3가지 범주
   ① 이기적 자살(egoistic suicide): 개인이 어느 사회집단과도 밀접하게 융합되지 못하는 경우에 발생, 미혼자, 농촌사회 자살률이 더 높음

② 이타적 자살(altruistic suicide): 개인이 그가 속한 사회집단과 지나치게 융화되고 결속된 나머지 사회집단을 위해 자기를 희생한다는 식으로 발생, 개인에게 독자적으로 사고할 영역을 지나치게 제약하는 사회나 단체

③ 무통제적 자살(anomic suicide): 사회집단에 대한 개인의 융화나 적응이 돌연히 차단되거나 와해된 경우에 발생. 경제적으로 파산하거나 반대로 벼락부자가 된다든지, 사회경제적 공황에 처한다든지 사회적 규범이나 가치가 붕괴될 때 발생. 대중매체가 자살을 유도하는 일이 있음(예, 인터넷 자살 동호회 모임)

4. 치료 및 예방

1) 우선은 직접적으로 자살에 대한 생각, 의도에 대해서 물어서 위험도 평가

2) 대부분의 정신건강의학과 환자들의 자살은 예방이 가능

3) 환자의 자살성이 높은 경우에는 정신건강의학과 보호병동에 입원

4) 자살환자의 입원치료 여부 결정 요소

① 진단

② 우울증의 정도

③ 자살 사고의 정도, 자살의 위험 인자의 유무

④ 환자와 가족의 대처 능력

⑤ 환자의 생활환경, 사회적 지지체계의 정도

5) 실제적인 예방법

① 주변인들의 도움을 얻어 환경을 바꾸거나 다른 방법으로 환자의 심리적 고통 덜어주기

② 환자의 주장이 정당하다는 것을 인정하고 실질적인 도움 제공

③ 고통을 잊기 위한 방법으로 자살이 아닌 다른 방법도 있음을 알려주기

폭력(Violence)

1. 원인

1) 생물학적 요인

① 남성호르몬인 테스토스테론의 증가와 세로토닌의 결핍에 기인한 충동성과 공격성의 증가

② 낮은 지능에 따른 자기 조절 능력의 저하와 문제파악 및 해결능력의 저하 등

2) 유전적 요인

① 성염색체 이상 - 특히 XXY 염색체 이상

② 쌍생아 연구에서도 공격성 발현에 유전적 원인이 있음이 보고

3) 신경해부학적 요인

① 변연계(편도, 시상하부): 외부자극이나 위협 등 스트레스 상황에 대한 대처 반응의 조절 담당

② 전두엽: 충동적 행동발현 등에 대한 억제를 담당.

4) 발달적 요인

① 일관성 없거나 혹독한 처벌 위주의 양육으로 자란 아동

② 아동학대나 방임과 같은 가정폭력을 경험한 아동

③ 위험요인이 되는 부모의 정신병리

: 물질 남용, 반사회성 성격장애, 충동조절장애, 우울증, 피해망상적 사고 등

2. 폭력과 인구사회학적 요인

1) 폭력의 위험성에 대한 가장 높은 예측 인자: 과거에 폭력행위 있었던 경우

2) 기타 폭력 가능성과 연관된 인구사회학적 요인들

: 10대 후반 ~ 20대 초반 젊은 연령, 정신질환에 이환되지 않은 일반 남성, 낮은 사회경제적 계층, 낮은 지적 수준과 교육 수준, 거주와 직업의 불안정, 주변 이웃 등 사회적 관계망의 빈곤, 인구가 과밀한 도시 지역, 음주력, 아동기에 학대받은 경험 등

3. 폭력과 정신질환

1) 난폭한 행동 문제를 보일 수 있는 정신질환들

파탄적 행동장애, 충동조절장애, 품행장애, ADHD, 폭행을 경험한 PTSD, 조현병 등 정신병증, 양극성장애 중 조증상태, 치매 등의 신경인지장애, 알코올과 암페타민, 코카인, 환각제 및 안정제 등에 의한 물질 사용 장애, 뇌 기질성 장애, 반사회성 성격장애, 간헐적 충동장애 등

2) 정신질환이 동반된 환자에서 폭력 행동을 예측 요인

최근의 현저한 스트레스 경험(이혼, 실직 등), 충동조절능력이 약할 때, 언어 행동적 위협 등 적대적 행동을 보일 때, 무기로 이용될 수 있는 물건의 휴대, 정신운동의 항진이 지속적으로 있을 때, 술, 약물 등 물질 사용 장애가 동반될 때, 정신병 환자의 편집적 양상, 공격을 지시하는 내용의 환청 등

4. 예방 및 치료

1) 위험에 노출될 수 있으므로 접근에 있어서 주의 깊고 신중할 필요

① 훈련된 보조 요원의 도움을 받아 가능한 환자를 다치지 않게 하면서 무장해제 시킬 것

② 무장하지 않았다면 환자가 대항하지 못할 정도로 주위 도움이 충분하거나 또는 환자를 압도할 만한 위엄이 있을 경우에 환자에게 접근

2) 환자를 안전한 환경에서 보호하며, 약물 사용하기 전에 스스로 행동을 조절하게 할 것

3) 약물치료

① 난폭하고 공격적인 환자들은 적절한 항불안제나 항정신병약물로 대부분 가라앉음

② haloperidol 근육주사, diazepam이나 lorazepam 등의 정맥주사

25 CHAPTER 노인 정신의학

노화에 따른 정신적, 심리적 변화

노화에 따른 정신적인 변화★

1) 인지기능과 감각 기능의 저하: 동작성 지능은 감퇴, 언어성 지능은 평생 유지됨
   ① 단기 기억력은 유지, 그러나 기억 저장 능력과 작업 기억은 떨어짐
   ② 언어구사 능력, 시공간 능력 및 추상적 추리 능력 등에서 속도는 다소 감퇴되지만 일상생활에 큰 지장을 초래하지는 않음
   ③ 집중력의 저하 때문에 시간이 더 오래 걸리는 것뿐이지 문제해결 능력 자체가 없어지는 것은 아님
   ④ 청력도 고음 청취 능력이 급격히 떨어지며 저음 청취 쪽으로 파급
2) 심리 변화
   ① 이기주의, 의존성, 내향성, 수동성, 독단적 태도, 경직성, 조심성, 순응주의 등이 증가
   ② 결정 과정은 지연되고 성취욕, 창조성, 희망↓
   ③ 친근한 사물에 대한 애착심이 강해진다.
3) 자기애로의 퇴행: 대상 상실, 의존적 욕구 충족되지 않거나 혹은 자존심의 손상을 받을 때 부정(denial), 투사(projection), 위축(withdrawal) 등 보다 원시적인 방어기제가 동원
4) 인생이 반추: 과거의 경험들을 점차 의식화하고 미해결되었던 갈등이 부활

수면의 변화

1) 서파수면 현저히 감소, 지속적인 수면 유지가 어려워 자주 깸, 각종 수면장애의 이환율 ↑
2) 입면 후 각성(wake after sleep onset)이 증가: 낮에 졸음 ↑
3) 수면 주기가 전진(advanced sleep phase): 초저녁 잠이 많아지고, 새벽에 일찍 깨는 경향

노년기 대표적인 정신장애

노년기 우울장애

1. 유발인자

1) 고령에 수반되는 여러 가지 심리적, 사회적, 생물학적 요인과 밀접한 관계
2) 만성 신체질환의 동반, 낮은 사회경제적 수준, 사회 역할의 상실, 인간관계의 축소 등

2. 노인의 지발성 우울증(late-onset depression)의 특징★

1) 노인들의 정신질환 중에서 가장 흔함
2) 유병률 10~15%, 여자에서 더 흔함
3) 나이 자체는 우울증 병발의 위험요소가 아님
4) 자살 성공률이 나이에 따라 증가, 자살 위험성이 높음
5) 신체질환이 있는 노인들에서 더 흔하며, 재발이 빈번
6) 노인의 지발성 우울증에서 뇌혈관질환의 빈도 증가
7) 가장 흔한 핵심 증상은 즐거운 자극에 대한 결여와 연관된 지속적인 무감동(anhedonia)
8) 신체적 호소가 더 많은 반면에, 공허감이나 죄책감에 대한 호소는 적음
9) 인지기능장애를 동반하는 경우가 흔하다. 우울성 가성치매
10) melancholic type 더 많음 (무력감, 유쾌한 자극에 대한 반응의 소실)
11) 우울감이 아침에 악화됨
12) nihilistic delusion (나는 죽었다 생각)
13) hypochondriacal delusion이 더 많음
14) 현저한 정신운동성 지연 혹은 초조, 부적절하거나 과도한 죄책감
15) 대개 치료 여부에 관계없이 수 주~수 개월 후에는 회복

3. 치료

: 일반 우울장애에서와 같음. 일반 성인 용량보다 낮은 용량을 선택하여 서서히 증량

1) 낮은 용량의 SSRI를 우선 사용 후 성공적이지 않을 경우에는 SNRI 변경 고려
2) 약물치료에 반응하지 않을 것으로 예측되는 요인들
   스트레스가 높은 경우, 사회적 지지가 낮은 경우, 신체적 질병이 있는 경우, 인지장애가 동반된 경우, 중증 또는 만성 우울증, 피질하 허혈성 병변을 동반한 경우
3) ECT
   ① 이전에 ECT에 효과가 있었을 경우
   ② 항우울제 치료에 반응이 없거나 약물치료에 심각한 부작용
   ③ 정신병적 증상이나 다양한 신체질환 동반된 우울증

노인환자의 치료

1. 노인의 정신약물치료

1) 주요 목표는 삶의 질을 향상시키고, 지역사회에 거주하며 요양원 입소를 늦추거나 피하는 것
2) 약물 사용 시에는 개인 간의 반응 차이가 크므로, 나이 고려 외에도 개인평가를 철저히 해야 함
3) 동반질환과 다양한 종류의 약물들의 사용을 고려해야 함

2. 노인의 정신치료

1) 중요 목표는 상실이나 은퇴에 잘 적응하고 삶을 잘 마무리하고 죽음을 무리없이 받아들이도록 돕기
2) 노인의 대인관계 개선, 자존감과 자신감의 고양, 무력감이나 분노를 완화시켜 삶의 질을 향상
3) 지지정신치료, 역동정신치료, 인지행동치료, 대인관계치료, 회상치료, 가족치료 등

26 CHAPTER 정신신체의학 및 자문조정 정신의학

정신신체의학(Psychosomatic medicine)

정신신체장애(psychosomatic disorders)

1) 마음과 몸 그리고 뇌가 항정상태(homeostasis) 유지를 위해 어떻게 상호작용을 하는가를 이해하고, 항정상태에서 벗어난 것을 질병으로 정의해서 방법을 연구하는 의학 분야
2) 신체질환이 발병, 진행, 악화, 완화, 재발하는데 사회심리적인 요소가 중요하게 관여한다는 관점
3) 심리적인 요소가 신체질환의 부분적인 원인이거나 질병의 경과에 영향을 줄 수 있다는 내용

스트레스 이론

1. 개념

1) 스트레스는 사람의 정상적인 신체적 혹은 심리적 기능을 혼란시키는 상황
2) 나쁜 일만이 아니고 결혼이나 승진과 같이 좋은 일도 항상성에 부담
3) 특정 개인이 받는 스트레스는 스트레스원에 대한 그 개인의 지각과 대처에 따라 달라짐
4) 신체는 스트레스원(stressor)을 피하고, 항상성을 되찾는 방향으로 행동

2. 생물학적 반응

1) 뇌, 특히 청반(locus ceruleus)에서 노르아드레날린계를 활성화시키고 카테콜라민을 분비
2) 뇌에서 세로토닌을 활성화시키고, 도파민의 신경전달 증가
3) 스트레스를 받으면 분비된 glucocorticoid의 영향으로 면역기능이 저하

4) 림프구 증식과 자연살해세포(natural killer cell)의 활동이 감소
5) 치매 환자를 돌보는 가족, 시험기간의 의대 학생, 부부간 갈등, 사별을 겪는 사람에서 이런 현상이 관찰
6) 우울하면 면역기능이 저하하고 정서적 지지나 정신치료를 받으면 면역기능이 강화

정신신체장애: 각론

심혈관질환

▶ 심혈관질환의 발현과 악화에 대한 위험 요인
1) 우울, 불안, A형 행동, 적대감, 분노, 급성 스트레스
A형 행동: 조바심, 공격성, 강렬한 성취욕, 긴박감, 인정 욕구, 진보에 대한 욕구 등과 관련
2) 쉽게 화를 내고 조급하고 공격적이고 경쟁적인 성격
3) 만성적인 스트레스

소화기질환

1. 소화성 궤양
1) 급성 스트레스가 면역 반응을 억제하여 *H. pylori* 감염에 취약한 결과를 초래
2) 스트레스, 불안, 우울이 궤양의 회복을 느리게 함

2. 과민성 장 증후군
1) 불안, 우울, 신체화가 아주 흔히 나타남
2) 만성적 긴장, 최근의 스트레스, 비관적 태도가 발병과 연관
3) 항우울제나 인지행동치료가 도움이 됨

내분비질환

1. 당뇨병
1) 중요한 심리학적 요소: 좌절감, 외로움, 실망을 초래하는 감정들
2) 주요우울장애, 수면장애 등을 동반

2. 갑상선기능항진증

1) 불안, 초조, 우울, 불면, 불쾌감, 주의력감소, 최근 기억장애, 놀람 반응
2) 심한 경우 환시나 피해망상, 섬망 등도 가능

3. 갑상선기능저하증

1) 우울한 기분(치료 저항성 우울증), 무기력, 기억력장애, 인지장애
2) 일부 환자에서는 환청과 의심 등의 정신병적 증상

4. 쿠싱증후군

1) 약 75%에서 우울한 기분을 보고★
2) 정서적 불안정, 과민, 성욕의 감퇴, 불안, 그리고 자극에 대한 과민성
3) 정신 증상(편집증, 환각, 이인증), 인지적 변화(집중과 기억장애)도 나타날 수 있음

호흡기질환

1. 천식

1) 특징적인 성격유형은 없으나 간혹 과도한 의존 욕구를 나타낼 수 있음
2) 30% 이상에서 공황장애나 광장공포증
3) 우울증, 공황발작, 공포가 동반되면 천식의 증상 심해져

2. 과호흡 증후군

1) 급성 스트레스, 불안, 공포, 통증 등으로 인해 수 분 동안 깊고 빠르게 스스로 호흡
2) 혈액의 pH 변화로 호흡곤란, 불안, 현기증, 심계항진, 사지 감각이상, 실신 발생 가능
3) 종이봉투 속 공기로만 호흡시켜 증상의 호전을 보일 수 있음

근골격계 질환

1. 류마티스관절염

1) 20%에서 우울증을 동반하며, 우울증 동반시에 기능장애, 통증 호소 병원 방문 횟수 증가
2) 우울, 불안의 위험이 높고 삶의 질이 낮음
3) 성격적 특성은 피학적, 희생적, 순응적, 양심적, 자기억제적, 강박적인 편임
4) 항우울제 중 삼환계 약물은 항우울 효과 외에도 경도의 항염증 효과도 보임

2. 전신홍반루푸스

1) 정신증, 섬망, 경련, 전반적 인지기능장애가 나타날 수 있음
2) 지속적인 지지정신치료가 도움

3. 섬유근육통

1) 다수의 통증 유발점에서 나타나는 통증과 경직으로 인해 불안, 피로, 수면장애 동반 가능
2) 스트레스로 인해서 국소적인 동맥 연축이 나타나 산소 공급의 장애로 통증을 유발할 수 있음
3) 진통제, 항염증제, 항우울제 등을 사용하고, 질환의 본질에 대한 이해를 돕는 정신치료가 도움

4. 요통

1) 대부분은 극심한 통증, 운동 제한, 마비, 근력 약화나 감각이상 등을 호소하며 불안, 공포, 공황발작 동반 가능
2) 긴장성 근막염 증후군
   심리적 원인으로 나타난 것으로, 스트레스나 무의식적 갈등이 자율신경계에 민감한 영향을 미쳐서 혈관 수축이 일어나 허혈이나 산소 결핍으로 인해 통증을 유발
3) 환자에게 생리적인 요소를 설명하여 이해할 수 있도록 도움

신경질환

▶ 혈관성 두통(편두통)과 긴장성 두통

편두통(vascular headache, migraine)	**긴장성 두통(tension type headache)**
스트레스에 의해 유발가능하며 감정적 스트레스와 연관	
뇌동맥팽창, 혈관벽의 무균성 염증이 원인 여 〉 남, 가족력(+) 시력장애 등 전구증상 (+), 오심 및 구토 동반 한쪽 머리에 압박성, 맥박성 통증 강박적이고 완벽주의 성격	근육압박으로 인한 허혈이 흔한 원인 하루 일과가 끝나는 저녁 시간에 더 심해짐 전구 증상 (-) 양측성 뒷머리와 목이 뻣뻣하고 통증 A형 성격
급성기 : 혈관수축제(ergotamine) 지지적 정신치료, biofeedback, 식이요법, 휴식 예방 : propranolol, CCB, phenytoin, SSRI, TCA	**항불안제(diazepam)**, 근육이완제 명상요법, biofeedback, 온찜질로 마사지

자문 조정 정신의학(Consultation-liaison psychiatry)

암 환자 및 임종에 직면한 환자

1. 암과 죽음에 대한 5단계 심리과정(Kübler-Ross)★

1) 1단계: 부정과 격리(denial and isolation) : 죽음이 통보되었을 때 환자가 충격을 받고 믿으려 하지 않는 과정
2) 2단계: 분노(anger): 주변과 자신의 상황에 분노하고 좌절하는 시기
3) 3단계: 타협(bargaining): 의사, 신과 타협을 시도하며 교회에 헌금을 하는 등의 행동
4) 4단계: 우울(depression): 결국 절망하고 우울해 짐, 자살도 고려
5) 5단계: 용납/수용(acceptance): 죽음을 피할 수 없음을 알고 이를 받아들이는 과정

2. 임종 환자의 관리

1) 무엇보다도 환자에게 정직하게 대하여 환자의 신임을 얻어야 한다.
2) 특히 말기 암 환자에 있어 통증의 관리는 중요하다.
3) 사소한 불편이라도 즉시 조치해 준다.
4) 의사의 의무는 환자에게 사랑의 관심과 지속적인 지지를 베푸는 것이다.
5) 환자에게 죽음을 통보하는 문제도 받아들일 환자의 인격수준에 따라 신중히 결정해야 한다.
6) 기계에 의해서만 생명이 유지되고 있는 환자나 그 가족이 그 기계들을 제거하고자 하는 의도가 있을 때, 이를 결정하는 문제는 의사에게 큰 법칙 및 윤리적 문제를 유발한다.

27 CHAPTER 정신사회심리학적 치료

정신분석(Psychoanalysis)

1) 현재 문제는 과거 정신적 상처나 억압된 무의식적 갈등 때문에 형성
   → 자유연상을 통해 무의식에 접근, 해석과 명료화 기법을 사용
   → 억압된 갈등을 의식화하여 자기문제의 핵심을 통찰
2) 정신분석 과정
   ① **전이(transference)** : 어린 시절 중요한 사람과의 관계에서 나타났던 행동 양식, 태도, 감정이 치료자와의 관계에서 재현
   ② **저항(resistance)** : 환자의 감정이나 갈등을 드러내지 않으려는 무의식적 태도
   ③ **역전이(counter-transference)** : 의사가 어렸을 때 누군가에게 느꼈던 감정을 환자에게로 옮겨 오는 현상
   ④ 해석(interpretation) 및 명료화(clarification) : 저항과 전이를 적절한 시기에 환자가 이해하게끔 의미를 명료화 및 해석함
   ⑤ 치료적 동맹(therapeutic alliance) : 성공적인 치료 과정을 위한 환자와 치료자의 현실적 협력
   ⑥ **훈습과정(working through)** : 환자가 분석가의 해석을 받아들여 자신의 갈등과 그로 인한 증상을 이해하는 병식을 갖게 하기 위해 해석을 반복적으로 받아들이는 과정
   ⑦ 자유연상(free association) : 환자가 분석가에게 떠오르는 생각과 느낌을 여과 없이 솔직히 말함

지지적 정신치료(Supportive psychotherapy)

개념 및 특징

: 관계지향적(relationship oriented), suggestive, suppressive, repressive

1) 과거에 초점을 맞추거나 갈등이나 본능의 문제에 초점을 두는 것이 아니라, 관계나 대인간의 문제, 그리고 일상생활을 하는 현실 안의 자기에 초점을 맞춤
2) 지지적인 의사와 환자의 관계는 환자가 고통스러운 경험과 믿음에 접근하고 그 사실을 알게 될 때 안전을 제공해 줌. 치료자는 환자에게 안전한 기지(secure base)를 제공해주는 애착의 대상 역할.
3) 환자의 장애가 된 방어 기제와 통합능력을 재생시키고 강화시킴
4) 치료자가 환자를 받아주고 의존을 허용함으로 긍정적 전이관계를 유지
5) 치료자의 적극적이고 지시적인 역할
   → 사회적 기능과 대처기술 향상, 행동과 주관적 느낌 개선

전략 및 개입

1. 중요한 전략들

1) 방어의 강화
2) 치료동맹의 유지와 회복
3) 자기 존중감의 강화

2. 개입 방법들

1) 암시(suggestion) : 치료자가 넌지시 환자의 증상이 없어지고 좋아질 것이라는 확신을 심어줌
2) 안심시키기(reassurance) : m/c 사용, 권위를 가지고 안심시키는 것
3) 지지(support) : 충고, 설명, 격려, 보증, 지도
4) **환기(ventilation)** : 남에게 말하지 못할 문제를 말함으로써 속이 후련하게 하여 불만이나 긴장을 해소
5) **제반응(abreaction)**
   ① 불편함을 초래한 상황을 감정적으로 재경험함
   ② 무의식 속에 억압된 억울한 기억이나 감정을 터뜨려 표현해 버림으로써 누적된 스트레스나 긴장을 정화 또는 완화시키는 표현 치료법

행동치료(Behavior therapy)

치료원칙

1) 무의식적 갈등의 규명이나 역동적 정신분석을 무시하고 장애된 행동자체에 치료의 초점
2) 학습이론(learning theory)에 따라 체계적으로 교정
3) 치료의 한계를 환자에게 분명히 제시

치료방법

1) **이완훈련(relaxation training) : 불안과 신체 통증에 효과적**
2) **체계적 탈감작법(systemic desensitization)**
   ① 불안, 공포의 위계를 작성하여 약한 자극에서 높은 자극으로 탈감작시킴
   ② 상호억제(reciprocal inhibition) : 긴장상태에서 근육을 이완
   ③ 긴장이완훈련(relaxation training) : 긴장 상태에서 근육을 이완시키는 것을 상호억제
3) 노출 치료(exposure treatment)
   ① **단계적 노출** : 탈감작법과 유사하나 이완 훈련이 없고, 실제 상황에서 실시
   ② **홍수법(flooding)** : 한꺼번에 대량 노출시킴

	홍수법	단계적 노출법	체계적 탈감작
방법	상상/실제 불안 상황에 갑자기 노출	실생활의 불안 유발 상황에 단계적 노출	불안 유발하는 상황이나 장면을 접하게 하는 이완-순위 작성-탈감작의 세 단계
단계적	X	O	O
노출 사이에 이완훈련	X	X	O

4) 행동수정기법(behavior modification technique)
   ① 긍정 강화(positive reinforcement) : 바람직한 행동을 보상, 이때 그 행동이 강화
   ② **부정 강화(negative reinforcement)** : 어떤 행동이 일어나는 상황 또는 직후에 감소되는 자극은 선행 행동을 증대
   ③ 토큰 활용법(token economy) : 양성 강화를 불규칙하게 주어지게 하여 효과↑
   ④ **소거(extinction)** : 긍정강화로 증가되었던 행동이 보상을 철회하면 점차 감소하는 현상
   ⑤ 처벌(punishment) : 문제 행동의 빈도를 줄이기 위해 문제 행동을 했을 때 혐오 자극

5) 생체되먹이기(biofeedback)

① 환자가 관찰하기 어려운 생리적 상태를 전자장치(ECG, EEG, EMG, BP, BT 등)를 이용하여, 관찰할 수 있는 신호로 바꾸어 환자에게 알려줌으로써 자율신경계를 조작적 조건화하거나 이완 등의 방법으로 생리 기능을 조절

② 적응증: 긴장성 두통, 본태성 고혈압 등의 정신신체질환, 불안, 스트레스 관리, 신경질환 재활치료 등

인지치료(Cognitive therapy)

개념

1) 환자의 감정과 행동문제가 자신과 외부세계에 대한 비현실적 믿음과 비논리적 추론으로 상황을 곡해한 데서 비롯한다고 가정하고 환자가 이런 오류를 스스로 발견하고 수정하도록 가르치고 돕는 치료
2) 단기간의 계획된 치료 방법으로 생각을 교정함으로써 정동과 행동을 수정하여 임상적인 증상을 해결하는 방법
3) 대부분의 인지치료는 행동기법을 포함(인지행동치료)

치료 기법

1. 인지기법

1) 자동적 사고들의 발전, 자동적 사고의 검증, 비적응적 배후 가정의 확인, 비적응적 가정들의 타당성 검증
2) 자동사고는 어떤 상황에서 슬픔, 불안, 화 등의 감정을 느끼기 직전에 아주 짧은 순간 떠올랐던 생각이나 장면을 말하는데, 역기능적 믿음을 반영하므로 이것을 식별하는 것이 중요
3) 자동사고가 발견되면 그것이 타당한가를 검토

2) 행동 기법: 새로운 전략을 세워 문제를 다루는 방법을 배우는 것

1) 대부분의 인지치료는 행동기법 포함(인지행동치료, cognitive-behavioral therapy)
2) 우울증의 경우 하루 일과를 시간대별로 짜고 그대로 했을 때의 성취감과 만족을 평가
3) 불안장애의 경우에는 주의분산, 이완, 호흡조절 등을 사용

28 CHAPTER 약물치료 및 물리적 치료

항정신병약물(Antipsychotic drug)

항정신병약물의 종류와 대표적 약물

1. 정형(typical) 또는 제1세대 항정신병약물
   - Haloperidol, pimozide, phenothiazines (chlorpromazine, thioridazine) 등
   - Dopamine pathways에서 D2 수용체 차단 역할
     - Mesolimbic pathway 차단 → 조현병 증상(양성 증상) 감소
     - Mesocortical pathway 차단 → 음성 증상의 호전에 도움이 되지 않음
     - Nigrostriatal pathway 차단 → 추체외로 증상
     - Tuberoinfundibular pathway 차단 → prolactin이 증가

※ Dopamine pathway★

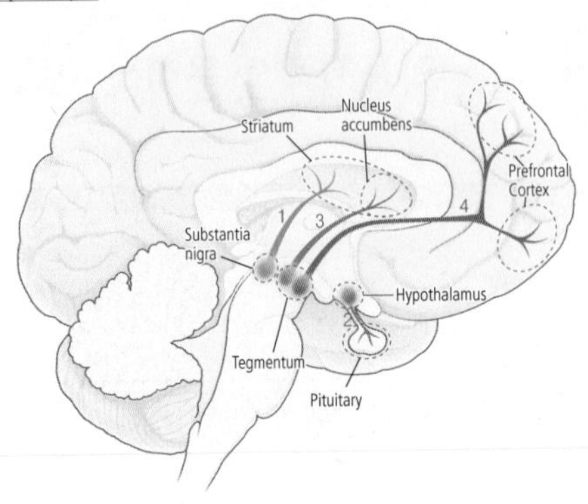

경로	기능	증가 시	감소 시
(1) nigrostriatal : 흑질체(substantia nigra) → 선조체(주로 caudate)	운동 기분조절		파킨슨 추체외로 증상, 틱
(2) tuberoinfundibular : 시상하부 → 누두, 뇌하수체 전엽	prolactin 분비 억제		유즙 분비 무월경
(3) mesolimbic (중뇌변연계) : ventral tegmental area (VTA) → 변연계	**감정** **보상기전** 쾌감(약물)	**조현병 양성 증상** **감소** **조증** **물질의존**	우울
(4) mesocortical (중뇌피질 경로) : VTA → 전전두엽			조현병 음성 증상 증가

2. 비정형(atypical) 또는 제2세대 항정신병약물

: 화학구조는 서로 상이하지만, 정형 항정신병약물과 달리 추체외로 부작용이 현저히 적다.

- **clozapine, risperidone, quetiapine, olanzapine, aripiprazole** 등
- 일반적으로 음성 증상에도 효과, 추체외로 증상(EPS)↓, 유즙분비↓

	정형 항정신병약물	비정형 항정신병약물
MC (D↓ → 음성 증상)	–	음성 증상에도 효과
ML (D↑ → 양성 증상)	양성 증상 감소	양성 증상 감소
NS (D↓ → 추체외로 증상)	추체외로 증상 증가	추체외로 증상 적음
TI (D↓ → 유즙분비)	Prolactin 증가	(일부에서) 영향 적음

항정신병약물의 주요 부작용★

명칭		증상발현	기전	증상	치료
추체외로 증상	parkinson 증후군	3~6주	도파민 차단작용 (D2 차단)	bilateral resting tremor, rigidity, bradykinesia, 무반응한 얼굴표정	약물중단 · 감량 · 교체. 항파킨슨약(항콜린제(trihexyphenidyl, **benztropine**), amantadine, bromocriptine)
	정좌불능증 (정위불능, akathisia)	초기		**불수의적 좌불안석 (delirium에 썼다가 오히려 안절부절 발생 가능)**	약물중단 · 감량, **propranolol,** clonidine, BZD
	급성근긴장이상 (acute dystonia)	초기		사경, 후궁반장, 안구운동발작 (oculogyric crisis), 연하곤란	약물중단 · 감량, BZD, 항히스타민제(diphenhydramine), 항콜린제(benztropine)
신경이완제 악성 증후군 (neuroleptic malignant syndrome, NMS)		초기 1주 내		심한 근육경직, 거친 진전 자율신경계 이상: 고열, 근육효소(CK)↑, 횡문근 융해, 혼미, 호흡곤란	지지치료(수액, 체온조절, 약물중지) dantrolene(근육이완제) bromocriptine
지연성운동장애 (tardive dyskinesia, TD)		1년 이상 장기 투여 시	도파민 수용체 감수성 항진 (과민성)	**비가역**, 가장 심각한 합병증(심각) **불수의 상동운동장애, 협설저작증후군(볼 부풀림), 손발 무도성 운동장애**	우선 약물중단 **계속 투여해야 할 경우: 비정형으로 교체 (clozapine이 TOC)** 특별한 치료방법은 없음.

▶ 기타 부작용들

1) 진정작용: 가장 흔하고 가장 먼저 나타나는 부작용 ∵ 히스타민 H1 수용체 차단
2) 항콜린 작용(anticholinergic effects)★ : 입마름, 변비, 소변장애 등
3) α-adrenergic receptor blocking effect : 기립성 저혈압, 서맥, 체온저하 등
4) prolactin 증가(dopamine 차단 때문): 유즙분비, 월경장애, 성욕감퇴, 남성 유방비대
5) 체중증가
6) 경련 유발
7) 무과립구증: 드물지만 급성이며 위험하며, 특히 **clozapine** 사용 시 정기적 CBC 필요
8) 드물게 심독성

기분안정제(Mood stabilizer)

리튬(lithium)

1. 적응증과 금기증

1) 적응증
   ① bipolar disorder (조증삽화, 우울삽화 모두의 치료와 예방)
   ② cyclothymia
2) 금기증
   ① 심혈관질환
   ② 신장질환
   ③ 갑상선질환
   ④ 중추신경계질환
   ⑤ 임신
   ⑥ 기타: 파킨슨 증후군, 중증 근무력증

2. 특징

1) 효과는 투여 5~7일 만에 나타남 → 급성 시는 항정신병약물(haloperidol) 병용 투여
2) 치료의 범위가 좁아서 과량 투여에 주의, 혈중 치료농도(0.8~1.5 mEq/L), 유지농도(0.5~1.0 mEq/L)

3. 부작용

1) 진전, 위장장애, 신장기능장애, 갑상선기능장애(goiter, 저하증), 심장 전도장애
2) 임신 시 금기(기형아 : Ebstein's anomaly)
3) 리튬 투여 시 검사: 심장, 신장, 갑상선 기능, 임신 등 검사
4) 중독 증상 → 의심시 혈중 농도 확인 필요
   ① 위장관 증상 : 복통, 오심/구토, 설사
   ② 신경 증상 : 근무력, 운동실조, 어지럼증, 언어장애, 시력장애, 진전, 간대성 운동, 경련
   ③ 빈뇨 및 신부전

항경련제

1. Carbamazepine

1) 적응증

① manic episodes: 혈중 치료 농도: 8~13 mEq/L

② bipolar disorder: 예방 효과, 특히 rapid cycling 시

③ schizoaffective disorder

④ depression: 일반적 치료에 반응하지 않을 때

⑤ impulse control disorder: 공격적 행동

2) 부작용

① 혈액학적 부작용: 백혈구감소증, 혈소판감소증, 무과립구증

∴ 특히 clozapine과는 같이 투여하면 안 됨

② 간에 부작용

③ 임신 시 기형 유발

2. Valproate

1) 특징

① 혼재성 삽화나 급속 순환성 삽화에도 효과적

② 비전형 기분장애에 효과적

③ 치료적으로 적절한 혈중 농도 유지가 필요

④ 임신 중 태아와 간기능에 대해 다른 항경련제보다 해로움

2) 부작용: 간과 신장에 부작용, 임신 시 기형 유발

항우울제(Antidepressants)

선택적 세로토닌 재흡수 억제제(SSRI)

1. 작용기전

: 세로토닌 재흡수 차단과 세로토닌 수용체(주로 5-HT2)의 하향 조절(down regulation)

2. 종류

: fluoxetine, sertraline, paroxetine, escitalopram 등

3. 적응증

1) 일차적으로 주요우울장애, 감정부전장애
2) 기타 강박장애, 식사장애, 공황장애에도 사용
3) 최근 연구에서 성격장애 환자에서 분노 및 충동적 공격성 조절, 일부 통증장애, 월경전 불쾌감 등에 효과가 있음이 보고됨
4) 심혈관질환이 있는 우울증 환자

4. 치료 특성

1) 치료 효과는 기존 TCA 항우울제와 유사하게 2~3주 만에 나타남
2) 정신운동 활성 효과가 큼
3) 진정작용이나 항콜린성 부작용이 적음
4) 체중증가 위험이 적고, 오히려 체중을 감소시키기도 함
5) 심독성 부작용이 적음
6) 강박증에 효과가 큼

5. 부작용

1) TCA에서 문제되었던 항콜린부작용, 기립성 저혈압, 체중증가, 심독성은 거의 없음
2) 세로토닌 증후군
   - 2가지 이상의 세로토닌계 약물을 함께 복용한 환자에 흔히 발생
   - 기면, 불안, 혼돈, 안면홍조, 발한, 진전, 근간대성 경련 등
   - 체온 상승, 근긴장 상승, 횡문근융해증으로 진행되어 신부전 및 사망하기도
3) 성기능장애: 발기부전, 사정곤란
4) 금단 증상: 특히 2가지 이상의 세로토닌계 약물을 함께 복용하는 환자들에게서 흔하며 전형적인 증상은 오심, 두통, 선명한 꿈, 흥분, 현기증 등이 있고 이러한 증상은 약물 용량을 몇 주에 걸쳐서 조금씩 감량함으로써 최소화될 수 있음

기타 항우울제들

1. 삼환계 항우울제(TCA)

1) 종류 : imipramine, clomipramine, amitriptyline 등

2) 부작용 : 항콜린 부작용, 기립성 저혈압, 체중증가, 심독성 주의

2. SNRI (venlafaxine, duloxetine, milnacipran 등)

3. bupropion (NDRI, norepinephrine-dopamine reuptake inhibitor)

① 세로토닌계에 작용을 하지 않으면서 노프에피네프린과 도파민계에 작용하는 약물

② 식욕부진, 불면 등의 부작용은 있지만 성기능장애는 초래하지 않으며, 오히려 SSRI로 초래된 성기능장애를 완화시키는 효과

4. mirtazapine (NaSSA, noradrenergic and specific serotonergic antidepressant)

: 세로토닌과 노르에피네프린의 유리 ↑

5. MAO 억제제(phenelzine, moclobemide)

: 비전형 양상 우울증에서 사용

항불안제

Benzodiazepine계열 약물

1. 특징

1) 불안 증상에 우선 선택

2) 비교적 안전

① therapeutic index가 크며, 독성이 적음

② 약물간 상호작용의 위험이 적고, 배설속도가 느리기 때문

3) 장기간 복용 시 신체적 의존성과 심리적 의존성이 있음

4) 술과 상승 작용할 수 있음

2. 부작용

1) 대량으로도 안전

2) 중추신경부작용: 진정, 졸림, 지적기능장애, 운동실조

3) 항불안제의 약물 의존성: alprazolam과 같이 반감기가 짧을수록 금단 증상이 심함

→ 그래서 짧은 반감기의 BDZ를 끊을 때 long acting BDZ으로 바꿔서 한 주에 10%씩 서서히 10주에 걸쳐서 끊음

4) **탈억제(disinhibition)**

① 벤조디아제핀이 어떤 경우에는 진정작용이 아니라 오히려 행동의 탈억제를 초래하여 공격적인 행동을 유발

② 노인 환자, 뇌손상 환자, 혹은 반사회 혹은 경계성 성격장애 환자에서 나타날 수 있음

Buspirone

1) 5-HT1A의 partial agonist (BDZ와 달리 GABA 수용체에 작용하지 않음)

2) BDZ의 부작용인 남용, 금단 증상, 불면 등의 부작용이 없음

3) 항공황효과는 없음

4) 효과가 2주 지나서야 나타남

전기경련요법(Electroconvulsive therapy, ECT)

1. 적응증★

1) 주요우울장애: 가장 흔한 적응증

① 가장 빠르고 효과적으로 우울증을 치료할 수 있는 방법

② 빠른 호전이 요구되는 상황(자살, 탈진 상태, 식사 거부, 다른 치료에 저항성, 과거 ECT에 양호한 호전 반응 보였던 환자 등)

2) 조증, 조현정동장애, 향정신병약물 악성 증후군(neuroleptic malignant syndrome)

3) 조현병 – 일시적인 효과만 보이는 경우 많음, 긴장증 동반 시에 효과

2. 금기증

1) 절대적인 금기사항은 뇌종양(뇌압 상승 위험), 뇌혈관장애 외에는 없음

2) 임신 시에는 금기가 아니고, 주의하여 사용 가능하며 태아에 대한 monitoring 필요 없음

29 CHAPTER 정신의학과 법

정신질환과 범죄

1) 정신질환은 일반인구집단에서 폭력과 상관관계가 있으며, 지역사회에서 폭력의 위험이 있으나 매우 큰 정도는 아니며, 정신질환자에 의한 폭력의 절대 위험은 적음
2) 사회경제적 상태나 폭력전과, 범죄성향만큼 정신질환이 범죄의 위험인자가 되지는 못함
3) 정신질환자들의 급성기 치료 및 유지치료가 범죄를 예방하는 데에 매우 중요
4) 불법적인 행위와 함께 고의(범의)가 있어야 형법상 범죄가 성립
   →범행을 하였어도 범의가 없으면 범죄가 성립되지 못하고, 따라서 처벌할 수도 없음
      → 정신질환자가 행한 범죄는 범행은 있지만 정신병적 증상이나 정신병리 현상 때문에 저질러진 것이므로 범의가 없는 것으로 보아 감경 또는 무죄가 성립 가능
5) 우리나라의 경우에는 심신장애로 인하여 심신상실상태에서 한 범죄의 경우는 무죄, 심신미약상태에서 한 범죄의 경우 형을 경감하도록 함(형법 제10조)
   ① 심신장애자로 인하여 사물을 변별할 능력이 없거나 의사를 결정할 능력이 없는 자의 행위는 벌하지 아니한다.
   ② 심신장애로 인하여 전항의 능력이 미약한 자의 행위는 형을 경감한다.
   ③ 위험의 발생을 예견하고 자의로 심신장애를 야기한 자의 행위에는 전2항의 규정을 적용하지 아니한다.
6) 정신질환 범죄자에 대해서는 치료감호시설에서의 치료감호제도를 시행하여, 보호와 치료를 통해 재범을 방지하고 사회복귀를 촉진하고자 하며, 외래치료명령제도, 보호관찰제도를 통해 지역사회에 거주하면서 치료를 받게 함

민법상 책임능력

1) 책임능력: 법에 의하여 보장된 자신의 권리를 행사할 수 있는 능력
2) 책임무능력: 정신질환 또는 치매로 인하여 인지, 판단 또는 정동의 장애로 인하여 자신의 권리를 사용할 수 없는 경우
3) 성년후견제도
   ① 현재 정신적 제약을 가지고 있는 사람뿐만 아니라 향후 정신적 능력이 약해지는 상황에 대비하여 후견제도를 이용하고자 하는 사람이 도움을 받을 수 있도록 개편
   ② 피성년후견인의 행위능력을 제한하는 것이 아니라 법률행위 능력을 성년후견인이 보충
   ③ 자기결정권을 존중하고 보호하며 잔존능력을 활용하는 데에 그 목적

입원 절차와 기준(정신보건법)

1. 자의입원(제41조)

자의입원환자가 퇴원을 신청하면 지체 없이 퇴원. 입원한 날로부터 2개월마다 퇴원 의사가 있는지를 확인해야 함

2. 동의입원

1) 동의입원 (제42조)
   ① 환자가 보호의무자 동의를 받아서 입원
   ② 환자와 보호의무자 모두 퇴원을 원할 경우 즉각 퇴원하며, 환자만 퇴원을 원하는 경우에는 정신과 진단 결과 치료와 보호 필요성이 있다고 인정되는 경우에는 72시간 퇴원을 거부하고, 다른 입원(43조, 44조)으로 전환 가능
2) 보호의무자에 의한 입원 (제43조)
   ① 보호의무자 2명 이상의 동의와 정신과 전문의의 입원이 필요하다고 진단 시 입원 가능. 다만 정신질환자에 대하여 계속 입원이 필요하다는 서로 다른 정신의료기관에 소속된 2명 이상의 정신과 전문의가 1명 이상 포함되어 일치된 소견이 있는 경우에만 입원할 수 있음. 3개월 이내로 입원 가능하며, 3개월 이후의 1차 입원 기간 연장은 3개월 이내이고, 1차 입원기간 연장 이후 입원 연장은 6개월 이내로 함. 입원 연장 시에도 서로 다른 정신의료기관 등에 소속된 2명 이상의 정신과 전문의가 입원 기간을 연장하여 치료할 필요가 있다고 일치된 진단을 해야 함.
   ② 퇴원할 수 있을 정도로 치유 시 전문의는 보호자의 동의 없이도 환자 퇴원 가능
3) 특별자치시장·특별자치도지사·시장·군수·구청장에 의한 입원(제44조)
   : 전문의 또는 정신건강전문요원이 환자의 정확한 진단이 필요하다고 생각 시 자치단체장에 신

청하여서 정신과 전문의가 인정하면 2주 이내의 기간 동안 지정정신의료기간에 입원시킬 수 있음. 이 평가 기간 동안 2인 이상의 전문의가 판단 후 계속 입원 가능.

4) 응급입원 (제50조)

: 의사와 경찰관의 동의를 받아서 정신의료기관에 정신질환이 의심되는 환자를 3일 이내 범위 내에서 응급입원 가능. 이후 정신과 전문의의 진단에 따라 위의 규정들에 따라 계속 입원이나 퇴원 결정

비밀보장

1) 비밀보장: 의사가 환자에 관한 정보를 그 어떤 누구와도 논의하거나 누설하지 않는 전문가의 행위
2) 헌법과 개인정보보호법 등에 의해 모든 국민은 사생활의 비밀보장에 대해 법률로 보호
3) 의사는 의료법에 의해서도 엄격하게 비밀보장에 대한 의무를 부여받음
4) 비밀보장 및 특권의 제한 및 예외
   ① 환자 자신에 의하거나 혹은 합당한 동의를 구한 경우
   ② 법원의 명령 및 소송 – 법적증언이나 법률자문 시
   ③ 공익과 관련한 경우 – 아동학대 및 방임, 성범죄 행위, 불법약물의 사용 등
   ④ 위험한 환자와 경고·보호의 의무 – 타인에게 위해를 가할 수 있는 경우 등